对外汉语本科系列教材

语言技能类 一年级教材

汉语教程 修订本

HANYU JIAOCHENG

第一册

初版

主　编：杨寄洲
副主编：邱　军
编　者：杨寄洲 邱　军 朱庆明
英　译：杜　彪
插　图：丁永寿

修订本

修　订：杨寄洲
英　译：杜　彪

图书在版编目（CIP）数据

汉语教程·第一册·下/杨寄洲主编．-修订本．
—北京：北京语言大学出版社，2010 重印
（对外汉语本科系列教材）
ISBN 978-7-5619-1635-3

Ⅰ．汉…
Ⅱ．杨…
Ⅲ．汉语-对外汉语教学-教材
Ⅳ．H195.4

中国版本图书馆 CIP 数据核字（2006）第 044208 号

书　　名：汉语教程·第一册·下
责任印制：陈　辉

出版发行：北京语言大学出版社
社　　址：北京市海淀区学院路 15 号　邮政编码 100083
网　　址：www.blcup.com
电　　话：发行部　82303650 /3591 /3651
　　　　　编辑部　82303395
　　　　　读者服务部　82303653 /3908
　　　　　网上订购电话　82303668
　　　　　客户服务信箱　service@blcup.net
印　　刷：北京外文印刷厂
经　　销：全国新华书店

版　　次：2006 年 7 月第 2 版　2010 年 1 月第 7 次印刷
开　　本：787 毫米×1092 毫米　1 /16　印张：15
字　　数：198 千字　　印数：73001—83000 册
书　　号：ISBN 978-7-5619-1635-3 / H·06083
定　　价：33.00 元

凡有印装质量问题，本社负责调换。电话：82303590

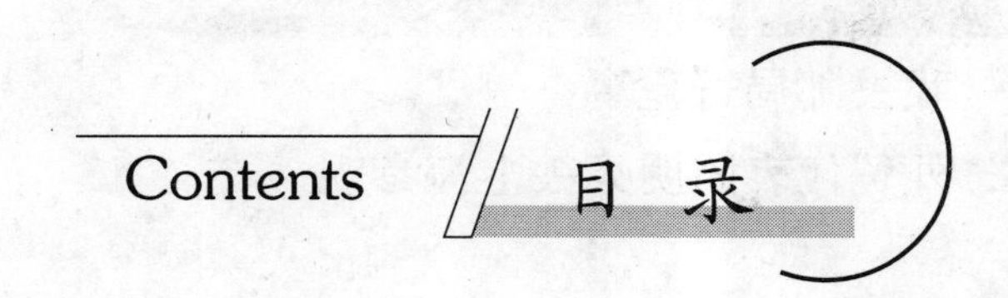

第十六课　你常去图书馆吗　(1)

一、课文　(一)你常去图书馆吗

(二)晚上你常做什么

二、生词

三、注释　(一)你跟我一起去,好吗?

(二)咱们走吧

(三)吧

(四)我很少看

四、语法　(一)时间词语作状语

(二)“还是”和“或者”

五、语音:句重音

六、练习

第十七课　他在做什么呢　(14)

一、课文　(一)他在做什么呢

(二)谁教你们语法

二、生词

三、注释　(一)怎么去呢?

(二)行

四、语法　(一)动作的进行

(二)双宾语句

(三)询问动作行为的方式:怎么 + 动词

五、语音

六、练习

第十八课 我去邮局寄包裹 (28)

一、课文 (一)我去邮局寄包裹
(二)外贸代表团明天去上海参观
二、生词
三、注释 (一)顺便替我买几张邮票吧
(二)没问题
四、语法:连动句
五、语音:逻辑重音
六、练习

第十九课 可以试试吗 (40)

一、课文 (一)可以试试吗
(二)便宜一点儿吧
二、生词
三、注释 (一)人民币的单位
(二)太少了
四、语法 (一)动词重叠
(二)又……又……
(三)“一点儿”和“有一点儿”
五、语音 (一)词重音
(二)语调
六、练习

第二十课 祝你生日快乐 (54)

一、课文 (一)你哪一年大学毕业
(二)祝你生日快乐
二、生词
三、注释 (一)属狗
(二)是吗?
(三)就在我的房间

四、语法　(一)名词谓语句
(二)年、月、日
(三)怎么问(6):疑问语调
五、语音:语调
六、练习

第二十一课　我们明天七点一刻出发　(68)
一、课文　(一)我的一天
(二)明天早上七点一刻出发
二、生词
三、注释　(一)我去朋友那儿聊天儿
(二)同学们
四、语法:时间的表达
五、语音　(一)词重音
(二)句重音
六、练习

第二十二课　我打算请老师教我京剧　(82)
一、课文
二、生词
三、注释　(一)你喜欢看京剧?是啊。
(二)“以前”和“以后”
(三)我来中国以前就对书法感兴趣
四、语法:兼语句
五、语音:兼语句的句重音
六、练习

第二十三课　学校里边有邮局吗　(96)
一、课文　(一)学校里边有邮局吗
(二)从这儿到博物馆有多远

二、生词
三、注释　(一)离这儿有多远?
(二)有七八百米
(三)多……?
四、语法　(一)方位词
(二)存在的表达
(三)介词“离”、“从”、“往”
五、语音
六、练习

第二十四课　我想学太极拳　(114)
一、课文　(一)我想学太极拳
(二)您能不能再说一遍
二、生词
三、注释　(一)您能不能再说一遍?
(二)从几点到几点上课?
四、语法　(一)能愿动词
(二)询问原因
五、语音
六、练习

第二十五课　她学得很好　(129)
一、课文　(一)她学得很好
(二)她每天都起得很早
二、生词
三、注释　(一)哪里
(二)你看她太极拳打得怎么样?
(三)打得还可以
四、语法　状态补语(1)
五、语音

六、练习

第二十六课 田芳去哪儿了 (144)

一、课文 (一)田芳去哪儿了
(二)他又来电话了
二、生词
三、注释 (一)你给我打电话了吧?
(二)你不是要上托福班吗?
(三)是不是
四、语法 (一)语气助词"了"(1)
(二)"再"和"又"
五、练习

第二十七课 玛丽哭了 (160)

一、课文 (一)你怎么了
(二)玛丽哭了
二、生词
三、注释 (一)怎么了?
(二)就吃了一些鱼和牛肉
(三)别难过了
(四)跳跳舞
四、语法 (一)动作的完成:动词 + 了
(二)因为……所以……
五、练习

第二十八课 我吃了早饭就来了 (177)

一、课文 (一)我吃了早饭就来了
(二)我早就下班了
二、生词
三、注释 (一)这几套房子,厨房、卧室还可以,但是客厅面积小了点儿

（二）我还是想要上下午都有阳光的
四、语法　（一）“就”和“才”
（二）要是……（的话），就……
（三）虽然……但是……
五、练习

第二十九课　我都做对了　（192）
一、课文　（一）我都做对了
（二）看完电影再做作业
二、生词
三、语法　（一）动作结果的表达：结果补语
（二）结果补语“上”、“成”和“到”
（三）主谓词组作定语
四、练习

第三十课　我来了两个多月了　（208）
一、课文　（一）我来了两个多月了
（二）我每天都练一个小时
二、生词
三、注释　（一）对这儿的生活已经习惯了
（二）练了好几年了
（三）三天打鱼，两天晒网
四、语法　（一）动作持续时间的表达：时量补语
（二）概数的表达
（三）离合动词
五、练习

词汇表　（224）

Lesson 16

Dì shíliù kè
第十六课

Nǐ cháng qù túshūguǎn ma
你常去图书馆吗

一 课文 Kèwén Text

(一) 你常去图书馆吗

玛丽：我现在去图书馆，你跟我一起去，好吗？
Mǎlì: Wǒ xiànzài qù túshūguǎn, nǐ gēn wǒ yìqǐ qù, hǎo ma?

麦克：好，咱们走吧。……你常去图书馆吗？
Màikè: Hǎo, zánmen zǒu ba. …… Nǐ cháng qù túshūguǎn ma?

玛丽：常去。我常借书，也常在那儿看书。你呢？常去吗？
Mǎlì: Cháng qù. Wǒ cháng jiè shū, yě cháng zài nàr kàn shū. Nǐ ne? Cháng qù ma?

麦克：我也常去。有时候借书，有时候上网查资料，但不常在
Màikè: Wǒ yě cháng qù. Yǒu shíhou jiè shū, yǒu shíhou shàng wǎng chá zīliào, dàn bù cháng zài

那儿 看书。我 总 在宿舍 看 书。
nàr kàn shū. Wǒ zǒng zài sùshè kàn shū.

玛丽：你的宿舍 安静 吗？
Mǎlì: Nǐ de sùshè ānjìng ma?

麦克：很 安静。
Màikè: Hěn ānjìng.

（二）晚上你常做什么

A：晚上 你 常 做 什么？
Wǎnshang nǐ cháng zuò shénme?

B：复习 课文，预习 生词，或者 做 练习。有 时候 上 网 跟 朋友 聊 天儿 或者 收发 伊妹儿。
Fùxí kèwén, yùxí shēngcí, huòzhě zuò liànxí. Yǒu shíhou shàng wǎng gēn péngyou liáo tiānr huòzhě shōufā yīmèir.

A：我 也 是，我 还 常 看 中文 电影 和 电视剧 的 DVD。你 常 看 吗？
Wǒ yě shì, wǒ hái cháng kàn Zhōngwén diànyǐng hé diànshìjù de DVD. Nǐ cháng kàn ma?

B：我 很 少 看。
Wǒ hěn shǎo kàn.

A：星期六 和 星期日 你 做 什么？
Xīngqīliù hé xīngqīrì nǐ zuò shénme?

B：有 时候 在 宿舍 休息，有 时候 跟 朋友 一起 去
Yǒu shíhou zài sùshè xiūxi, yǒu shíhou gēn péngyou yìqǐ qù

公园 玩儿 或者 去 超市 买 东西。
gōngyuán wánr huòzhě qù chāoshì mǎi dōngxi.

二 生词 Shēngcí New Words

1.	现在	（名）	xiànzài	now
2.	跟	（介、动）	gēn	with; to follow
3.	一起	（副）	yìqǐ	together
4.	咱们	（代）	zánmen	we; us
5.	走	（动）	zǒu	to walk; to go
6.	常(常)	（副）	cháng(cháng)	often; usually; frequently
7.	有时候		yǒu shíhou	sometimes; now and then
	时候	（名）	shíhou	time
8.	借	（动）	jiè	to borrow; to lend
9.	上网		shàng wǎng	to log on; to surf the Internet
	网	（名）	wǎng	net
10.	查	（动）	chá	to check; to look up
11.	资料	（名）	zīliào	material; data
12.	总(是)	（副）	zǒng(shì)	always
13.	安静	（形）	ānjìng	quiet; peaceful; calm
14.	晚上	（名）	wǎnshang	evening
15.	复习	（动）	fùxí	to review
16.	课文	（名）	kèwén	text
17.	预习	（动）	yùxí	to preview
18.	生词	（名）	shēngcí	new words
19.	或者	（连）	huòzhě	or

20.	练习	（动、名）	liànxí	to practise; exercise
21.	聊天儿		liáo tiānr	to chat
22.	收发	（动）	shōufā	to receive and dispatch (letter)
	收	（动）	shōu	to receive; to accept
	发	（动）	fā	to dispatch; to send out
23.	伊妹儿	（名）	yīmèir	e-mail
24.	电影	（名）	diànyǐng	film; movie
25.	电视剧	（名）	diànshìjù	TV drama; TV play
	电视	（名）	diànshì	Television; TV
26.	休息	（动）	xiūxi	to rest
27.	宿舍	（名）	sùshè	dormitory
28.	公园	（名）	gōngyuán	park
29.	超市	（名）	chāoshì	supermarket
30.	东西	（名）	dōngxi	thing

三 注释 Zhùshì Notes

（一）你跟我一起去，好吗？ You go with me, OK?

陈述句后边用“……，好吗？”提问，表示提出建议，征求对方意见。有商量、请求的意思。例如：

An indicative sentence becomes inquisitive if it is followed by “……好吗？”, which indicates a suggestion or a request, e. g.

（1）晚上咱们去看电影，好吗？

（2）你跟我一起去，好吗？

（二）咱们走吧 Let's go.

“咱们”包括说话人和听话人。“我们”则有两个用法，一、包括说话人和听话人，二、不包括听话人。例如：

“咱们” includes both the speaker and the listener. “我们” has two usages: first, both the speaker and the listener are included; second, the listener is not included, e. g.

（1）晚上咱们（我们）一起去吧。

（2）你们是留学生，我们是中国学生，咱们是朋友。

（三）吧 The modal particle “吧”

语气助词“吧”用在句尾表示商量、提议、请求、同意等。例如：

The modal particle “吧” is used at the end of a sentence to lend it a suggestive, inquisitive or agreeing tone, e. g.

（1）A：咱们一起去吧。（请求、提议）

B：好吧。（同意）

（2）A：咱们走吧。（请求、提议）

B：走吧。（同意）

（四）我很少看 I seldom watch (DVD).

句中的“很少”是“不常”的意思。

“很少” (seldom) and “不常” (not often) are synonymous.

“很少”可以在句中作状语。但“很多”不能作状语。

“很少” can be used as an adverbial; “很多” cannot.

可以说：很少吃馒头，很少看电影，很少看电视。

不能说：*很多吃米饭，*很多看电视。

四 语法 Yǔfǎ Grammar

（一）时间词语作状语 Temporal words as adverbials

汉语的时间词语常放在动词前或主语前表示动作行为的时间。例如：

A temporal word as an adverbial may be placed either before the verb or before the subject to indicate the time of an act. e. g.

(1) A：你晚上做什么？

B：我晚上做练习。

(2) A：下午你常去哪儿？

B：我常去图书馆。

(二)“还是”和“或者” “还是”and“或者”

“还是”跟“或者”的不同用法是：

Both“或者” and“还是” mean“or”. Their difference in usage is：

“还是”用于选择问句。

“还是” is used in alternative questions.

(1) A：你喝茶还是喝咖啡？

B：我喝咖啡。

(2) A：你上午去还是下午去？

B：下午去。

“或者”用于陈述句。

“或者”is used in indicative sentences.

(3) A：星期天，你做什么？

B：我常常在宿舍看书或者跟朋友聊天儿。

(4) 晚上我常常听音乐或者看电视。

五 语音 Yǔyīn Phonetics

句重音 Sentence stress

1. 句子中的状语一般要重读。例如:

Adverbials in sentences are usually stressed, e. g.

她'常常去图书馆。
我'很少看电视。
你'晚上做什么?

2. 否定副词作状语，不强调否定时不重读。例如:

Negative adverbs as adverbials, when not emphasizing negation, are unstressed.

她不常看电影。

3. 用“……，好吗?”问时，“好”要重读，句尾读升调。

When inquiring with “…好吗?”, “好” is stressed, and the rising tone is used at the end of the sentence.

你跟我一起去，好吗？↗

六 练习 Liànxí Exercises

1 语音 Phonetics

(1) 辨音辨调 Pronunciations and tones

wǎnshang	wǎng shàng	xiūxi	xiūlǐ
liànxí	liánxì	zīliào	zhìliáo
shēngcí	shēngzì	yùxí	fùxí

(2) 多音节连读 Multisyllablic liaison

túshūguǎn	bówùguǎn	dàshǐguǎn	zhǎnlǎnguǎn
měishùguǎn	tǐyùguǎn	wénhuàguǎn	tiānwénguǎn

(3) 朗读 Read out the following phrases

好吧	去吧	走吧	喝吧
跟爸爸一起去	跟同学一起学	跟朋友一起看	一起去吧
复习课文	复习语法	预习生词	预习语法
常看电影	常看电视	常复习课文	常预习生词
不常吃馒头	不常喝啤酒	不常看电影	不常去公园
很少看书	很少喝酒	很少去图书馆	很少吃面条

2 替换 Substitution exercises

(1) A：你跟我一起去，好吗？

B：好吧。

玛丽	我朋友
她	他们
我们	老师

（2）A：我常去 图书馆，你呢？

B：我也常去。

去	公园
看	电视
写	汉字
预习	生词
复习	课文

（3）A：你晚上常做什么？

B：我常做练习。

去	图书馆
看	电视
复习	语法
预习	课文
写	汉字

（4）A：你常不常去图书馆？

B：我常去图书馆。

看电影	复习课文
预习生词	借书
看光盘	去超市

3 选词填空 Choose the right words to fill in the blanks

总	有时候	常	跟	聊天	还是	或者

（1）晚上我不________看电视。

（2）明天你________我一起去，怎么样？

(3) 晚上我做练习________看电视。

(4) 今天晚上你复习课文________预习生词？

(5) 我________在宿舍做练习。

(6) 星期天，________我在宿舍休息，________跟朋友一起去公园玩儿。

(7) 我总上网跟朋友________。

4 给下列动词填上适当的宾语 Give objects to the following verbs

(1) 学习：________，________，________，________

(2) 住：________，________，________，________

(3) 吃：________，________，________，________

(4) 喝：________，________，________，________

(5) 买：________，________，________，________

(6) 找：________，________，________，________

(7) 上：________，________，________，________

(8) 有：________，________，________，________

5 组句 Construct sentences

(1) 跟 你 图书馆 一起 去 吧 我

____

(2) 我 电影 看 很少 电视 也 看 不 常

____

(3) 我 上网 或者 资料 查 跟 聊天儿 朋友 常

____

(4) 下午 玛丽 我 一起 去 跟 银行

____

(5) 我　不　太　宿舍楼　住　的　安静　那个

____

(6) 她　常　在　不　图书馆　看　中文杂志

____

(7) 我　生词　晚上　预习　课文　复习

____

6 回答问题　Answer the following questions

(1) 你常看中国电影吗？

____

(2) 你常去图书馆吗？

____

(3) 晚上你常做什么？

____

(4) 你常跟同学一起聊天儿吗？

____

(5) 你常预习生词吗？

____

(6) 你常上网吗？你上网做什么？

____

(7) 上课的时候，老师常问你问题（wèntí：question）吗？

____

(8) 你常问老师问题吗？

____

(9) 你常喝啤酒吗？

____

(10) 星期六或者星期日你常做什么？

____

7 改错句 Correct the sentences

(1) 我们班有十八个留学生们。

____

(2) 我有一汉语词典。

____

(3) 我们的学校是很大。

____

(4) 我明天下午有上课。

____

(5) 我是这个大学的学生，也我弟弟是。

____

(6) 都我爸爸妈妈是大夫。

____

8 成段表达 Express yourself

我的宿舍不太安静。所以（suǒyǐ：so）下午我常去图书馆学习。我在那儿看书，看中文杂志，有时候还在那儿看中国电影和电视剧的DVD。现在我很少看英文的东西。有时候上网跟朋友聊天，收发伊妹儿。

晚上，我常复习课文，预习生词，或者做练习，写汉字。

星期六和星期日，我在宿舍休息，有时候跟朋友去公园玩儿，或者去超市买东西。

9 写汉字 Learn to write

安	安	安	安	安	安	安	安	安	安	安	安
常	常	常	常	常	常	常	常	常	常	常	常
跟	跟	跟	跟	跟	跟	跟	跟	跟	跟	跟	跟
走	走	走	走	走	走	走	走	走	走	走	走
超	超	超	超	超	超	超	超	超	超	超	超
市	市	市	市	市	市	市	市	市	市	市	市
练	练	练	练	练	练	练	练	练	练	练	练
做	做	做	做	做	做	做	做	做	做	做	做
借	借	借	借	借	借	借	借	借	借	借	借
时	时	时	时	时	时	时	时	时	时	时	时
候	候	候	候	候	候	候	候	候	候	候	候
看	看	看	看	看	看	看	看	看	看	看	看
视	视	视	视	视	视	视	视	视	视	视	视

Lesson 17

Dì shíqī kè

第十七课

Tā zài zuò shénme ne

他在做什么呢

一 课文 Kèwén Text

（一）他在做什么呢

（玛丽去找麦克，她问麦克的同屋爱德华，麦克在不在宿舍……）

玛丽：麦克 在 宿舍 吗？
Mǎlì: Màikè zài sùshè ma?

爱德华：在。
Àidéhuá: Zài.

玛丽：他在 做 什么 呢？
Mǎlì: Tā zài zuò shénme ne?

爱德华：我 出来 的 时候，
Àidéhuá: Wǒ chūlai de shíhou,

他 正在 听
tā zhèngzài tīng

音乐 呢。
yīnyuè ne.

（玛丽到麦克宿舍……）

玛丽： 你是不是在听音乐呢？
Mǎlì： Nǐ shì bu shì zài tīng yīnyuè ne?

麦克： 没有，我 正 听课文录音 呢。
Màikè： Méiyǒu, wǒ zhèng tīng kèwén lùyīn ne.

玛丽： 下午 你 有 事儿 吗？
Mǎlì： Xiàwǔ nǐ yǒu shìr ma?

麦克： 没有 事儿。
Màikè： Méiyǒu shìr.

玛丽： 我们 一起 去 书店，好 吗？
Mǎlì： Wǒmen yìqǐ qù shūdiàn, hǎo ma?

麦克： 你 要 买 什么 书？
Màikè： Nǐ yào mǎi shénme shū?

玛丽： 我 想 买 一本《汉英词典》。
Mǎlì： Wǒ xiǎng mǎi yì běn《Hàn-Yīng Cídiǎn》.

麦克： 咱们 怎么 去 呢？
Màikè： Zánmen zěnme qù ne?

玛丽： 坐 车 去 吧。
Mǎlì： Zuò chē qù ba.

麦克： 今天 星期六，坐 车 太 挤，骑 车 去 怎么样？
Màikè： Jīntiān xīngqīliù, zuò chē tài jǐ, qí chē qù zěnmeyàng?

玛丽： 行。
Mǎlì： Xíng.

（二）谁教你们语法

田　芳：玛丽，你们 有 几 门 课？
Tián Fāng: Mǎlì, nǐmen yǒu jǐ mén kè?

玛丽：现在 只 有 四 门 课：综合 课、口语 课、听力 课 和 阅读 课。
Mǎlì: Xiànzài zhǐ yǒu sì mén kè: zōnghé kè、kǒuyǔ kè、tīnglì kè hé yuèdú kè.

田　芳：有 文化 课 和 体育 课 吗？
Tián Fāng: Yǒu wénhuà kè hé tǐyù kè ma?

玛丽：没有。
Mǎlì: Méiyǒu.

田　芳：林 老师 教 你们 什么？
Tián Fāng: Lín lǎoshī jiāo nǐmen shénme?

玛丽：她 教 我们 听力 和 阅读。
Mǎlì: Tā jiāo wǒmen tīnglì hé yuèdú.

田　芳：谁 教 你们 综合 课 和 口语 课？
Tián Fāng: Shéi jiāo nǐmen zōnghé kè hé kǒuyǔ kè?

玛丽：王 老师。
Mǎlì: Wáng lǎoshī.

二 生词 Shēngcí New Words

1. 在　（副）　zài　in the process of; in the course of

2.	出来	(动)	chūlai	to move from inside to outside
	来	(动)	lái	to come
3.	正在	(副)	zhèngzài	in the process of; in the course of
4.	音乐	(名)	yīnyuè	music
5.	没有	(副)	méiyǒu	have not; did not
6.	正	(副)	zhèng	be doing; just (doing sth.); just now
7.	录音	(名、动)	lùyīn	recording; to record
8.	事	(名)	shì	matter; thing; business
9.	书店	(名)	shūdiàn	bookstore
10.	想	(动、能愿)	xiǎng	to think; to want to
11.	汉英		Hàn-Yīng	Chinese-English
12.	坐	(动)	zuò	to travel by
13.	挤	(形、动)	jǐ	crowded; to squeeze
14.	骑	(动)	qí	to ride
15.	行	(动)	xíng	all right; O. K.
16.	门	(量)	mén	(a classifier for subjects in school)
17.	课	(名)	kè	lesson; course
18.	综合	(动)	zōnghé	comprehensive
19.	口语	(名)	kǒuyǔ	spoken language
20.	听力	(名)	tīnglì	listening
21.	阅读	(名)	yuèdú	reading
22.	文化	(名)	wénhuà	culture
23.	体育	(名)	tǐyù	physical training
24.	教	(动)	jiāo	to teach

三 注释 Zhùshì ● Notes

(一) 怎么去呢? How shall we go there?

语气助词“呢”用在疑问句句尾时，使句子的语气变得缓和。例如：

When the modal particle “呢” is used at the end of a question, it makes the tone of the sentence mild, e. g.

(1) A：咱们怎么去呢?

B：骑车去吧。

(2) 他去不去呢?

(3) 你上午去还是下午去呢?

(二) 行 All right.

表示同意时可以说“行”。例如：

“行” is used to express agreement, e. g.

A：坐车去吧。

B：行。

四 语法 Yǔfǎ ● Grammar

(一) 动作的进行 The progression of an act：在/正/正在＋动词＋宾语

动词前边加上副词“在”、“正在”、“正”或句尾加“呢”，表示动作的进行。“在”、“正在”和“正”也可与“呢”同时使用。例如：

When a verb is preceded by adverbs “在”, “正在”, or “正”, or when the particle “呢” is added at the end of the sentence, it signifies that an act is in progress. “在”, “正在” and “正” can be used simultaneously with “呢”, e. g.

(1) A：麦克正在做什么呢?

B：他正在看电视呢。

(2) A：你在做什么呢？

B：我在听录音呢。

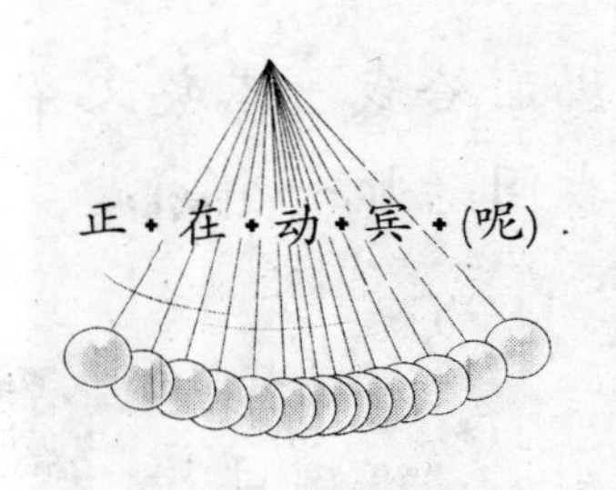

(3) A：他们正做什么呢？

B：他们正上课呢。

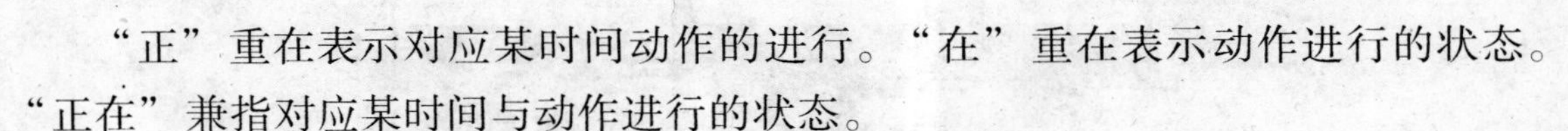

“正”重在表示对应某时间动作的进行。“在”重在表示动作进行的状态。“正在”兼指对应某时间与动作进行的状态。

“正” emphasizes the fact that an act is in progress, in correspondence with a specific time. “在” emphasizes the state of an act in progress. “正在” emphasizes both.

否定用“没（有）”。例如：

The negative form is “没（有）”, e.g.

(4) A：麦克，你是不是在听音乐呢？

B：我没有听音乐，我在听课文录音呢。

(5) A：他们在上课吗？

B：他们没在上课。

有的动词不能和“正”、“在”、“正在”搭配。这些动词是：“是、在、有、来、去、认识”等。

Some verbs cannot collocate with “正”, “在” and “正在”. These verbs are “是，在，有，来，去，认识”, etc.

不能说：* 正在是留学生呢。

（二）双宾语句 The sentence with two objects

汉语有些动词可以带两个宾语：第一个叫间接宾语，一般指人；第二个叫直接宾语，一般指事物。但能带双宾语的动词比较少，多数动词不能带双宾语。可以带双宾语的动词有：“教、给、借、还、问、回答、告诉”等。

Some Chinese verbs may take two objects: the first is called the indirect object, usually referring to people; the second is the direct object, usually referring to something. This type of verbs are relatively few, most verbs cannot take two objects. The verbs that can take double objects include “教，给，还，问，回答，告诉”, etc.

(1) 王老师教我们课文和语法。

(2) 玛丽给我一本英文杂志。

(3) 我问老师一个问题。

(三) 询问动作行为的方式：怎么+动词

Inquiries about the manner of an act: **怎么** (how) + verb

"怎么+动词(V)"的形式用来询问动作行为方式或方法，请求对方说明"怎么做某事"。例如：

"How + verb" is a pattern used to inqure about the manner or the way doing something, or "how something is done". The other side is invited to explain how to do it, e. g.

(1) A：咱们怎么去？

B：骑车去吧。

(2) A：你怎么去公园？

B：我坐车去。

五 语音 Yǔyīn Phonetics

(一) 双宾语句子的直接宾语一般要重读。

The direct object in a double-object sentence is usually stressed.

林老师教我们'听力。
姐姐给我一本'词典。

(二) 句尾用"吧"的疑问句或祈使句读降调。

The falling tone is used in interrogative and imperative sentences ending with "吧".

我们走吧。↓
你跟我一起去吧。↓

六 练习 Liànxí Exercises

1 语音 Phonetics

（1）辨音辨调 Pronunciations and tones

zěnme	zhème	shíhou	shítou
yīnyuè	Yīngyǔ	shūdiàn	shuǐ diàn
xiànzài	gāngcái	tǐyù	dìlǐ

（2）多音节连读 Multisyllablic liaison

gōnggòng cèsuǒ	gōnggòng jiāotōng
gōngyòng diànhuà	gōngguān xiǎojie

（3）朗读 Read out the following phrases

怎么去	怎么走	怎么写
怎么读	怎么用	怎么坐车
他在听音乐	我在看信	他在看电视
正看电视呢	正听录音呢	正跟朋友聊天呢
正在写信呢	正在打电话呢	正在买东西呢
王老师教我们语法	我问你一个问题	姐姐给我一本词典

2 替换 Substitution exercises

补充生词 Supplementary words

1. 打电话	dǎ diànhuà	to make a phone call
2. 飞机	fēijī	plane
3. 火车	huǒchē	train
4. 走路	zǒu lù	to walk；to go on foot
5. 打的	dǎ dí	to take a taxi

(1) A：他在做什么呢？

B：他在听录音呢。

听音乐	看电视
读课文	预习生词
写汉字	复习语法

(2) A：你去的时候，他正在做什么呢？

B：我去的时候，他正在看电视呢。

看照片	聊天儿
听音乐	读课文
做练习	写汉字

(3) A：我们怎么去？

B：骑车去吧。

坐车	坐火车
坐飞机	走路
打的	

(4) A：林老师教你们什么？

B：她教我们听力。

王老师	语法
谢老师	口语
马老师	阅读
张老师	汉字

3 组句 Construct sentences

(1) 教 阅读 林老师 和 我们 听力

(2) 给 一本 我爸爸 我 词典

(3) 问题 老师 我们 常常 问

(4) 常常 我 老师 问题 的 回答

(5) 我 中文 图书馆 一本 借 书

(6) 买 《汉英词典》 他 想 正 书店 去 呢

4 给下列动词加上适当的宾语 Give appropriate objects to the following verbs

例：去 去哪儿 去书店 去教室 去邮局

(1) 复习______ ______ ______ ______

(2) 预习______ ______ ______ ______

(3) 看______ ______ ______ ______

(4) 教______ ______ ______ ______

(5) 喝______ ______ ______ ______

(6) 坐______ ______ ______ ______

5 看图说话 Describe the pictures

A：他/她（们）正在做什么？

B：________________________________。

(1)

(2)

(3)

跳舞（tiào wǔ：to dance）

(4)

唱歌（chàng gē：to sing）

(5)

(6)

(7)

照相（zhào xiāng：to take pictures）

(8)

游泳（yóu yǒng：to swim）

(9)

(10)

6 成段表达 Express yourself

（1）玛丽来找我的时候，我正在听课文录音呢。我问她有什么事，她说，下午要去书店买书，问我想不想跟她一起去。我也正想去书店。我问她要买什么书，她说，她没有《汉英词典》，想买一本。我也想买一本《汉英词典》。我问她怎么去，她说坐车去，我说，今天星期六，坐车太挤，书店不太远，骑车去比较好。她说行，下午，我们一起骑车去书店。

（2）玛丽要买电话卡（diànhuàkǎ：telephone card），她问服务员（fúwùyuán：attendant）："小姐，有电话卡吗？"小姐问："你要100块的还是要50块的？"玛丽说："我要100块的。"小姐问："要几张？"玛丽说："只要一张。"

7 根据实际情况回答下列问题 Answer the questions according to actual situations

（1）这个星期六你去哪儿？

星期六我去……

（2）你什么时候去？

八点 any # 点 … time

（3）你怎么去？

我怎去……

(4) 你跟谁一起去？

(5) 晚上你在哪儿吃饭？

(6) 你现在在哪儿学习汉语？

(7) 你们有几个老师？

(8) 谁教你们课文和语法？

8 写汉字 Learn to write

坐	坐	坐	坐	坐	坐	坐	坐	坐	坐	坐	坐
挤	挤	挤	挤	挤	挤	挤	挤	挤	挤	挤	挤
门	门	门	门	门	门	门	门	门	门	门	门
课	课	课	课	课	课	课	课	课	课	课	课
合	合	合	合	合	合	合	合	合	合	合	合
力	力	力	力	力	力	力	力	力	力	力	力
化	化	化	化	化	化	化	化	化	化	化	化

Lesson 18

Dì shíbā kè
第十八课

Wǒ qù yóujú jì bāoguǒ
我去邮局寄包裹

一 课文 Kèwén Text

（一）我去邮局寄包裹

（田芳在楼门口遇见张东）

田　芳：张　东，你 要 去 哪儿？
Tián Fāng: Zhāng Dōng, nǐ yào qù nǎr?

张　东：我 去 邮局 寄 包 裹，顺便 去 书 店 买 一 本 书。你 去 吗？
Zhāng Dōng: Wǒ qù yóujú jì bāoguǒ, shùnbiàn qù shūdiàn mǎi yì běn shū. Nǐ qù ma?

田　芳：不去，一会儿 玛丽 来 找 我。你 顺便 替 我 买 几 张 邮票 和 一 份 青年报 吧。
Tián Fāng: Bú qù, yíhuìr Mǎlì lái zhǎo wǒ. Nǐ shùnbiàn tì wǒ mǎi jǐ zhāng yóupiào hé yí fèn Qīngniánbào ba.

news paper

张　东：好 的。
Zhāng Dōng: Hǎo de.

田　芳：我给你拿钱。
Tián Fāng: Wǒ gěi nǐ ná qián.

张　东：不用，先用我的钱买吧。
Zhāng Dōng: Búyòng, xiān yòng wǒ de qián mǎi ba.

（二）外贸代表团明天去上海参观

（珍妮来宿舍找玛丽）

珍妮：玛丽，我明天去上海。
Zhēnní: Mǎlì, wǒ míngtiān qù Shànghǎi.

玛丽：你去上海旅行吗？
Mǎlì: Nǐ qù Shànghǎi lǚxíng ma?

珍妮：不，明天一个外贸代表团去上海参观，我去给他们当翻译。
Zhēnní: Bù, míngtiān yí ge wàimào dàibiǎotuán qù Shànghǎi cānguān, wǒ qù gěi tāmen dāng fānyì.

玛丽：坐飞机去还是坐火车去？
Mǎlì: Zuò fēijī qù háishi zuò huǒchē qù?

珍妮：坐飞机去。
Zhēnní: Zuò fēijī qù.

玛丽：什么时候回来？
Mǎlì: Shénme shíhou huílai?

珍妮：八号回来。替我办一件事，行吗？
Zhēnní: Bā hào huílai. Tì wǒ bàn yí jiàn shì, xíng ma?

玛丽：　什么 事？你 说 吧。
Mǎlì：　Shénme shì？ Nǐ shuō ba.

珍妮：　帮 我 浇 一下儿 花。
Zhēnní：　Bāng wǒ jiāo yíxiàr huā.

玛丽：　行，没 问题。
Mǎlì：　Xíng, méi wèntí.

二 生词 Shēngcí New Words

1.	包裹	（名）	bāoguǒ	parcel；package
2.	顺便	（副）	shùnbiàn	on the way；conveniently
3.	替	（介）	tì	for
4.	邮票	（名）	yóupiào	stamp
5.	份	（量）	fèn	(a classifier for newspapers, documents, etc.)
6.	青年	（名）	qīngnián	youth
7.	报	（名）	bào	newspaper
	报纸	（名）	bàozhǐ	newspaper
8.	拿	（动）	ná	to take；to get
9.	不用	（副）	búyòng	need not；unnecessarily
	用	（动）	yòng	to use
10.	旅行	（动）	lǚxíng	to travel
11.	代表	（名、动）	dàibiǎo	representative；to represent
12.	团	（名、量）	tuán	delegation；mass
13.	参观	（动）	cānguān	to visit
14.	当	（动）	dāng	to be；to serve as

15. 翻译	（名、动）	fānyì	interpreter; to interpret
16. 飞机	（名）	fēijī	plane
飞	（动）	fēi	to fly
17. 火车	（名）	huǒchē	train
18. 回来	（动）	huílai	to come back
19. 办	（动）	bàn	to handle
20. 帮	（动）	bāng	to help
21. 浇	（动）	jiāo	to water
22. 花	（名）	huā	flower
23. 没问题		méi wèntí	no problem
问题	（名）	wèntí	question; problem

专名 Zhuānmíng **Proper names**

1. 上海	Shànghǎi	Shanghai (a metropolis in China)
4. 珍妮	Zhēnní	Janet

三 注释 Zhùshì Notes

（一）顺便替我买几张邮票吧

Will you please buy me a few stamps and a piece of *Youth Newspaper*, by the way?

（二）没问题 No problem.

答应别人请求时说的话。

Used to give a positive answer to a request.

四 语法 Yǔfǎ Grammar

连动句 The sentence with verb constructions in series

谓语由两个或两个以上的动词或动词词组组成的句子叫连动句。连动句表达动作行为的目的和动作方式。

The predicate of this type of sentence consists of two or more verbs or verb phrases. This type of sentence has the following functions:

1. 表达动作行为的目的："去/来 + （什么地方） + 做什么"

Indicate the purpose of an action: "go to /come to + (a place) + to do something"

（1）外贸代表团明天去上海参观。

（2）我来中国学汉语。

2. 怎么做某事 How to do something/how something is done

（3）我们坐飞机去上海。

（4）他骑车去寄包裹。

（5）我们用汉语聊天儿。

五 语音 Yǔyīn Phonetics

逻辑重音 The logical stress

说话时，为了强调句子中某种特殊含义而重读某个词或词组，这种重音叫逻辑重音。逻辑重音没有固定的位置，随着说话人的逻辑思维而改变。例如：

Sometimes we want to stress a word or phrase to emphasize a particular meaning of an utterance. This stress is called the logical stress. Logical stresses do not have a fixed or regular position in an utterance. They vary with the state of mind of the speaker, e. g.

珍妮明天坐飞机去上海参观。

A：谁明天坐飞机去上海参观？
B：'珍妮明天坐飞机去上海参观。

A：珍妮什么时候坐飞机去上海参观？
B：珍妮'明天坐飞机去上海参观。

A：珍妮明天怎么去上海？
B：珍妮明天'坐飞机去上海。

A：珍妮明天坐飞机去哪儿参观？
B：珍妮明天坐飞机去'上海参观。

A：珍妮明天坐飞机去上海做什么？
B：珍妮明天坐飞机去上海'参观。

六 练习 Liànxí Exercises

1 语音 Phonetics

(1) 辨音辨调 Pronunciations and tones

shùnbiàn　　suíbiàn　　jiāo huā　　jiǎohuá
lǚxíng　　lǐxìng　　huǒchē　　huòchē

(2) 多音节连读 Multisyllablic liaison

cānguāntuán　　dàibiǎotuán
lǚyóutuán　　zhǔxítuán

(3) 朗读 Read out the following phrases

当老师　　当大夫　　当翻译　　当律师
替朋友借书　　替我还书　　给妈妈打电话　　给代表团当翻译
寄书　　寄光盘　　寄包裹　　寄中药

2 替换 Substitution exercises

(1) A：外贸代表团明天去哪儿？

B：去长城。（他们明天去长城。）

经济代表团	参观团
旅行团	玛丽和麦克
留学生	

(2) A：你去上海做什么？

B：参观。（我去上海 参观。）

中国	留学
邮局	寄包裹
图书馆	查资料
银行	换钱
书店	买词典

(3) A：你们怎么去上海？

B：坐飞机去。（我们坐飞机去。）

去书店	坐车去
去食堂	骑车去
写信	用伊妹儿写信
练听力	听录音练
工作	用电脑工作

(4) A：给我 买一张青年报，行吗？

B：没问题。

帮我	买几张邮票
给我	借一本书
帮我	浇一下儿花
给我	查一份资料
给我们	当一下儿翻译

（5）A：老师 用汉语讲课还是用英语讲课？

B：用汉语讲课。

你	用电脑写信	用笔写信
你	回宿舍	去图书馆
她	用汉语翻译	用英语翻译

3 选词填空 Choose the right words to fill in the blanks

给	当	寄	顺便	代表	花	用	坐

（1）我去邮局________包裹。

（2）下午老师来________我辅导。

（3）你________给我买个本子，好吗？

（4）我________伊妹儿给爸爸妈妈写信。

（5）这些________很香。

（6）我跟________团一起去上海参观。

（7）他们________飞机去北京旅行。

（8）我给代表团________翻译。

4 组句 Construct sentences

例：请 给 你 一下儿 我 浇 花 → 请你给我浇一下儿花。

(1) 跟 我 朋友 去 东西 买 商店 一起 下午

下午我跟朋友一起去商店买东西。

(2) 代表团 飞机 去 坐 参观 上海 明天

____

(3) 代表团 她 翻译 给 当

她给当代表团翻译.

(4) 我 上海 一个 朋友 去 看

~~上海~~ 我一个朋友看去上海.

(5) 常 查 上网 资料 田芳

____

(6) 她 用 伊妹儿 写 朋友 给 信

____

(7) 我 上网 常 聊天儿 跟 朋友

我

(8) 我 张东 和 骑车 去 书店

____

5 改错句 Correct the sentences

(1) 她借书去图书馆。

____

(2) 我们跟中国同学聊天儿用汉语。

____

(3) 我找王老师去办公室。

____

(4) 你去看电影哪儿？

____

(5) 我们都学习汉语来中国。

____

(6) 珍妮去上海坐火车。

____

6 将下列A和B两部分连成一个句子 Link A and B into a sentence

例：我去老师家 · → · 问问题

A	B
(1) 麦克不常去图书馆 借书 ·	· 参观
(2) 她来中国 学习汉语 ·	· 买东西
(3) 我们常常去超市 买东西 ·	· 换钱
(4) 我跟玛丽去书店 买汉英词典 ·	· 寄包裹
(5) 山本想去北京 旅行 ·	· 学习汉语
(6) 玛丽中午要去银行 换钱 ·	· 旅行
(7) 我要去办公室 找老师 ·	· 买《汉英词典》
(8) 田芳上网收发 伊妹儿 ·	· 找老师
(9) 张东要去邮局 寄包裹 ·	· 借书
(10) 明天留学生去博物馆 参观 ·	· 伊妹儿

7 完成会话 Complete the following dialogues

(1) A：顺便替我办件事，行吗？

B：__________？你说吧。

A：帮我买一本杂志。

B：________________________________。

(2) A：________________________________？

B：我明天去北京。

A：________________________________？

B：坐飞机去。

A：________________________________？

B：不，我跟代表团一起去，我给他们当翻译。

A：________________________________？

B：星期一回来。

8 成段表达 Express yourself

一个外贸代表团来中国。明天他们要去上海参观。我跟他们一起去，给他们当翻译。我们坐飞机去，八号回来。我对玛丽说："帮我浇一下儿花，行吗？"玛丽说："行，没问题。"

9 写汉字 Learn to write

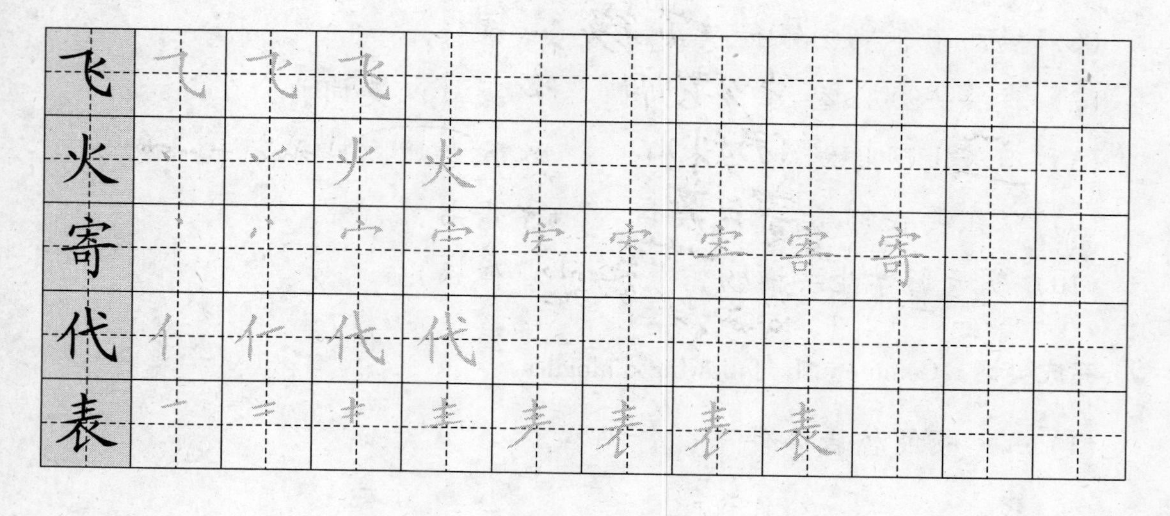

字											
团	丨	冂	闭	团							
参	𠃋	厶	厶	厽	叁	叁	参	参			
观	㇇	又	刈	xﾌ	观	观					
当	丨	丬	丬	当	当	当					
顺	丿	川	川	川一	川丆	川丆	顺	顺	顺		
便	亻	亻一	佰	便	便						
替	一	二	夫	夫	扶	替					
拿	人	今	合	拿							
帮	一	二	三	丰	邦	邦	帮	帮	帮		

Lesson 19

Dì shíjiǔ kè 第十九课	Kěyǐ shìshi ma 可以试试吗

一 课文 Kèwén Text

（一）可以试试吗

（玛丽在商店买羽绒服）

玛丽：我看看羽绒服。
Mǎlì: Wǒ kànkan yǔróngfú.

售货员：你看看这件怎么样？又好又便宜。
shòuhuòyuán: Nǐ kànkan zhè jiàn zěnmeyàng? Yòu hǎo yòu piányi.

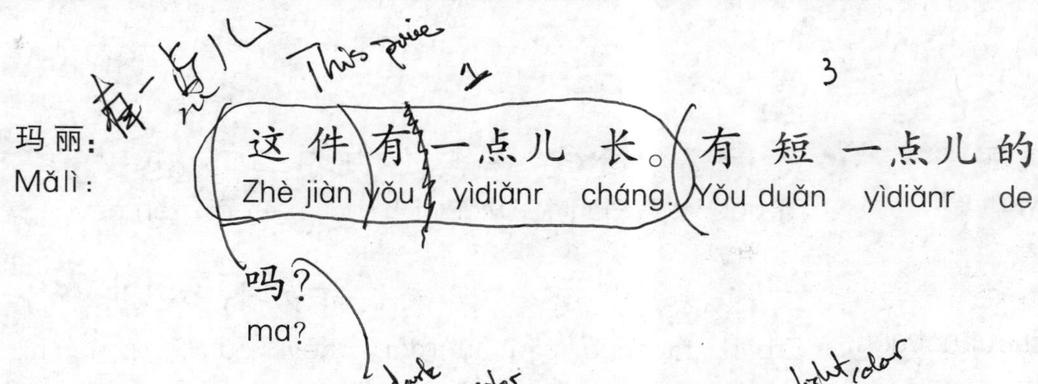

玛丽：这件有一点儿长。有短一点儿的吗？
Mǎlì: Zhè jiàn yǒu yìdiǎnr cháng. Yǒu duǎn yìdiǎnr de ma?

售货员：你要深颜色的还是要浅颜色的？
shòuhuòyuán: Nǐ yào shēn yánsè de háishi yào qiǎn yánsè de?

玛丽：浅颜色的。……我试试可以吗？
Mǎlì: Qiǎn yánsè de. …… Wǒ shìshi kěyǐ ma?

售货员：当然可以。
shòuhuòyuán: Dāngrán kěyǐ.

玛丽：这件太肥了，有没有瘦一点儿的？
Mǎlì: Zhè jiàn tài féi le, yǒu méiyǒu shòu yìdiǎnr de?

售货员：你再试试这一件。
shòuhuòyuán: Nǐ zài shìshi zhè yí jiàn.

玛丽：这件不大不小，正合适，颜色也很好看。
Mǎlì: Zhè jiàn bú dà bù xiǎo, zhèng héshì, yánsè yě hěn hǎokàn.

（二）便宜一点儿吧

玛丽：这种羽绒服怎么卖？
Mǎlì: Zhè zhǒng yǔróngfú zěnme mài?

售货员：一件四百块。
shòuhuòyuán: Yí jiàn sìbǎi kuài.

玛丽：太贵了。便宜一点儿吧，二百怎么样？
Mǎlì: Tài guì le. Piányi yìdiǎnr ba, èrbǎi zěnmeyàng?

售货员：二百太少了，不卖。可以打八折，你给三百二吧。
shòuhuòyuán: Èrbǎi tài shǎo le, bú mài. Kěyǐ dǎ bā zhé, nǐ gěi sānbǎi èr ba.

玛丽：三百行不行？
Mǎlì: Sānbǎi xíng bu xíng?

售货员：给你吧。
shòuhuòyuán: Gěi nǐ ba.

二 生词 Shēngcí New Words

1.	羽绒服	（名）	yǔróngfú	down jacket
2.	又…又…		yòu…yòu…	not only... but also
3.	便宜	（形）	piányi	inexpensive; cheap
4.	长	（形）	cháng	long
5.	一点儿	（数量）	yìdiǎnr	a bit; a little
6.	短	（形）	duǎn	short
7.	深	（形）	shēn	(color) dark; deep
8.	浅	（形）	qiǎn	(color) light; shallow
9.	试	（动）	shì	to try
10.	可以	（能愿）	kěyǐ	may; can
11.	当然	（副）	dāngrán	certainly; of course; without doubt
12.	肥	（形）	féi	fat; loose
	胖	（形）	pàng	fat

13. 瘦	（形）	shòu	thin; tight
14. 合适	（形）	héshì	fit; suitable
15. 好看	（形）	hǎokàn	good-looking; pretty
16. 种	（量）	zhǒng	kind; type
17. 打折		dǎ zhé	to sell at a discount; to give a discount

三 注释 Zhùshì Notes

（一）人民币的单位 The monetary unit of Renminbi

人民币的计算单位是“元”、“角”、“分”，口语说“块”、“毛”、“分”。

The computing units of *Renminbi* are “*yuan*”, “*jiao*”, “*fen*”. In spoken Chinese we often use “*kuai*”, “*mao*”, “*fen*”.

31.89 元——三十一元八角九分——三十一块八毛九（分）

46.50 元——四十六元五角——四十六块五（毛）

898.40 元——八百九十八元四角——八百九十八块四（毛）

最后一位可以不说，如果中间有两位以上的“0”，后一位必须说出。

In telling the amount of a sum of money, one may omit the name of the last unit in that amount. If there are more than two “0”（zero）in the middle, only the last one is said.

100.50 元——一百元〇五角——一百块〇五毛

如果只是块、毛或分一个单位，口语中常常在最后加上一个“钱”字。

If the unit is in *kuai*, *mao* or *fen* only, the word “钱” is often added in the end.

20.00 ——二十元　　　——二十块（钱）

0.50 元——五角　　　——五毛（钱）

0.05 元——五分（钱）

（二）太少了 too little, too few

"太+形容词（adj） +了"表示程度过分或程度高。前者用于表达不满意，后者用于赞叹。例如：

The construction "too + Adjective + 了" expresses the excessiveness or highness in degree. The former implies dissatisfaction, while the latter expresses an exclamation, e. g.

（1）不满意（dissatisfactions）：

太大了！

太小了！

太肥了！

太瘦了！

（2）称赞、赞美（compliment, exclamation）：

太好了！

太合适了！

四 语法 Yǔfǎ ● Phonetics

（一）动词重叠 The reduplication of verbs

汉语表达动作时间短、尝试、轻微等意义时，用动词的重叠形式：V+V。重叠的动词一般要读轻声，使用这一格式时，说话的语气显得轻松、客气、随便，一般用于口语。

In Chinese verbs are sometimes used in reduplicated forms to express the shortness (of time), trying efforts or slightness of an act. When using this pattern, the speaker's tone is relaxed and casual. Reduplication forms are usually used in spoken language.

单音节动词的重叠形式是"AA"式或"A一A"式，双音节动词的重叠形式是"ABAB"式，中间不能加"一"。例如：

The reduplication form for monosyllablic verbs is "A A" or "A — A"; for disyllablic verbs is "ABAB", "—" cannot be inserted in between, e. g.

A A	A 一 A	A B A B
试试	试一试	预习预习
听听	听一听	复习复习
看看	看一看	休息休息

（1）你看看这本词典怎么样？

（2）你听听这个句子是什么意思？

（3）我试一试，可以吗？

如果动词所表示的动作已经发生或完成，重叠形式是："A + 了 + A" 和 "A B 了 A B" 式。例如：

If an action a verb expresses has already taken place or completed, the reduplication form is: "A + 了 + A" or "A B 了 A B", e. g.

A 了 A	AB 了 AB
试试→试了试	复习→复习了复习
看看→看了看	预习→预习了预习

"有"、"在"、"是" 等不表示动作的动词不能重叠使用。

Verbs that do not denote an action cannot be reduplicated.

表示正在进行动作的动词不能重叠。

Verbs denoting an action in progress cannot be reduplicated.

不能说：* 我正在听听录音呢。

（二）又……又……　not only... but also...

"又……又 ……" 用来连接并列的形容词、动词或动词、形容词词组，表达两种情况或状态同时存在。例如：

"又…又…（not only... but also...）is used to connect adjectives, verbs, verbal phrases or adjectival phrases to denote simultaneous existence of two conditions or states of affairs, e. g.

（1）这件羽绒服又好又便宜。

（2）我们教室又安静又干净。

(3) 那个箱子又小又旧。

(4) 他去银行又取钱又换钱。

(三)"一点儿"和"有一点儿"

The difference between **"一点儿"** and **"有（一）点儿"**

"一点儿"可以作定语。例如：

"一点儿" can be used by itself as an attribute, e. g.

(1) 他会一点儿汉语。

(2) 请给我（一）点儿啤酒吧。

"一点儿"用在形容词后边，表示比较。

When used after an adjective, it shows comparison.

(3) 有没有长一点儿的？

(4) 这件颜色有点儿深，我要浅一点儿的。

"有（一）点儿"作状语，用在形容词前，多用于表达不如意的事情。例如：

"有（一）点儿" is used as an adverbial before an adjective; expressing that something is undesirable or dissatisfying, e. g.

(5) 这件有（一）点儿长。（也可以说：这件有一点儿短。）

(6) 这件颜色有（一）点儿深，有没有浅一点儿的。

(7) 这件羽绒服有点儿不合适。（不说：*这件羽绒服有点儿合适。）

五 语音 Yǔyīn Phonetics

(一) 词重音 Word stress

单音动词重叠时，前一个音节要重读；第二个音节以及夹在重叠动词中间的“一”要读轻声。例如：

When monosyllablic verbs are reduplicated, the first syllable is stressed; the second syllable and the “一” between them are unstressed, e. g.

试试	看看	听听	读读
试一试	看一看	写一写	听一听

双音节动词的重叠式为：ABAB。其中“A”要重读。例如：

The form for disyllablic verbs is A B A B, of which A is stressed.

介绍介绍　　休息休息　　复习复习

(二) 语调 Intonation

感叹句句末为下降语调。例如：

In an exclamatory sentence the falling tone is used at the end, e. g.

太好了！↓　　太贵了！↓

六 练习 Liànxí Exercises

1 语音 Phonetics

(1) 辨音辨调 Pronunciations and tones

dāngrán	tǎnrán	shìshi	shíshí
héshì	héshí	piányi	biànlì

(2) 多音节连读 Multisyllablic liaison

tài guì le	tài duì le	tài hǎo le	tài měi le
tài shòu le	tài féi le	tài yuǎn le	tài dà le

（3）朗读　Read out the following phrases

试试	看看	听听	读读
试一试	看一看	听一听	读一读
又饿又渴	又冷又累	又好又便宜	又贵又不好
不大不小	不肥不瘦	不深不浅	不长不短

2 替换　Substitution exercises

补充生词　Supplementary words

1. 面包	miànbāo	bread
2. 鞋	xié	shoe
3. 双	shuāng	pair
4. 毛衣	máoyī	sweater

（1）A：我试试可以吗？

B：可以。

看看	听听
用用	换换

（2）A：这种羽绒服怎么卖？（多少钱一件？）

B：一件 三百二十块。

毛衣	一件	120 元
苹果	一斤	3.5 元
面包	一个	1.8 元
咖啡	一杯	28 元
鞋	一双	235 元
自行车	一辆	950 元

(3) A：这件羽绒服怎么样？

B：这件有（一）点儿长，有没有短一点儿的？

贵	便宜
肥	瘦
长	短
大	小
深	浅

(4) A：你要白的还是要红的？

B：我要白的。

便宜	贵
大	小
深	浅
长	短
肥	瘦

3 读下列钱数 Read out the following amount

元 = 块（yuán = kuài）

0.05 元	0.26 元	0.98 元
3.08 元	8.88 元	10.05 元
35.00 元	46.05 元	56.90 元
77.55 元	89.50 元	105.90 元
117.80 元	206.02 元	558.40 元
880.00 元	997.44 元	1038.95 元

4 选词填空 Choose the right words to fill in the blanks

A. 当然　件　种　胖　深　又…又…　便宜

（1）A：我试试这________羽绒服可以吗？

B：________可以。

（2）这________羽绒服多少钱一件？

（3）我太________了，这件衣服有点儿瘦，不太合适。

（4）有没有颜色浅一点儿的？这件颜色有点儿________。

（5）________一点儿怎么样？

（6）这件毛衣________便宜________好。

B. 有点儿　一点儿

（1）这件衣服____________肥，有没有瘦____________的？

（2）这本书____________难，那本容易____________。

（3）这课的生词____________多。

（4）这个房间____________小。

（5）这件____________贵，那件便宜____________。

（6）这双鞋____________大，我想看看小____________的。

C. 怎么　怎么样

（1）我们明天________去？

（2）这本词典____________？

（3）老师，这个词________读？

（4）你试试这件____________？

（5）她的学习____________？

（6）这个字________写？

（7）我们骑车去，____________？

（8）苹果________卖？

5 你是 A，请求 B 同意自己的要求，应该怎么说？

You are A and you want B to agree to your request. What should you say?

(1) A：________________?（看看）

B：你看吧。

(2) A：________________?（用用）

B：你用吧。

(3) A：________________?（试试）

B：当然可以。

(4) A：________________?（听听）

B：好吧。

(5) A：________________?（骑骑）

B：可以。

6 改错句 Correct the sentences

(1) 你试试的这件衣服怎么样？

____

(2) 我觉得写写汉字很难。

____

(3) 这课课文一点儿难。

____

(4) 我去商店买买一件衣服。

____

(5) 这件衣服一点儿深颜色，我不喜欢。

____

(6) 你应该写信你妈妈。

____

7 成段表达 Express yourself

去商店买衣服

听说这里的冬天很冷，我还没有羽绒服呢，想去买一件。麦克说，有一家商店，那里的衣服又好又便宜。我说，明天我们一起去吧。麦克说："对不起，明天我一个朋友来中国旅行，我要去机场接他，不能跟你一起去。"我说："没关系。我可以一个人去。"玛丽听说我要去买衣服，说："我也想买羽绒服。我跟你一起去，好吗？"我说："当然好啊！我正想找人跟我一起去呢。"

我问玛丽："明天我们几点出发？"

玛丽说："明天是星期天，坐车的人一定很多，我们早点儿去吧。八点走怎么样？"

我说："好吧。那个商店离学校不太远，我们不用坐车去，可以骑车去。"

"行！"玛丽说，"听说有一个展览很好看，我很想去看看，你想不想看？"

我说："我也很想去看。我们一起去吧。"

玛丽说："好，我跟你一起去买衣服，你跟我一起去看展览。"

补充生词 Supplementary words

1.	听说	tīngshuō	to hear of
2.	冬天	dōngtiān	winter
3.	冷	lěng	cold
4.	机场	jīchǎng	airport
5.	接	jiē	to meet; to pick up
6.	能	néng	can
7.	展览	zhǎnlǎn	exhibiton; show

8 写汉字 Learn to write

又	㇇	又									
可	一	𠮛	可								
以	𠄌	𠄌丶	以	以							
试	丶	讠	订	讦	讦	讧	试	试			
羽	𠃌	习	习	羽							
然	丿	夕	夕	夕	肰	肰	狀	然	然		
适	丿	二	千	舌	舌	话	适				
短	丿	𠂉	𠂉	矢	矢	矢	知	知	矩	短	
种	丿	二	千	禾	禾	和	种				
贵	口	中	虫	串	串	贵	贵				
宜	丶	宀	宀	宁	宇	官	宜	宜			
深	丶	氵	氵	氵	泞	涳	涳	涳	深	深	深
浅	丶	冫	氵	汀	汁	浅	浅	浅			
肥	丿	月	月	月	肌	肥	肥	肥			

Lesson 20

Dì èrshí kè 第二十课	Zhù nǐ shēngri kuàilè 祝你生日快乐

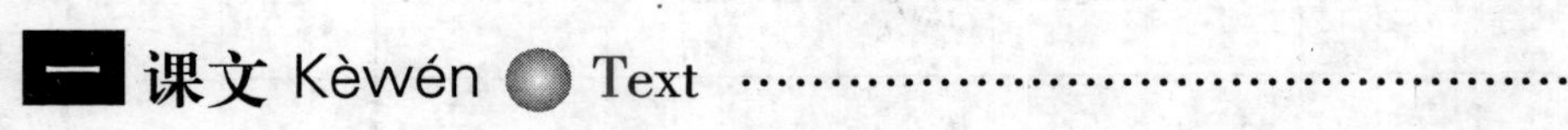

一 课文 Kèwén Text

（一）你哪一年大学毕业

A：你 哪 一年 大学 毕业？
Nǐ nǎ yì nián dàxué bìyè?

B：明年。你呢？
Míngnián. Nǐ ne?

A：我 后年。你 今年 多 大？
Wǒ hòunián. Nǐ jīnnián duō dà?

B：我 二十一 岁。
Wǒ èrshíyī suì.

A：属 什么 的？
Shǔ shénme de?

B：属 狗 的。
Shǔ gǒu de.

（二）祝你生日快乐

A：你 的 生日 是 几 月 几 号？
Nǐ de shēngri shì jǐ yuè jǐ hào?

B：我 的 生日 是 十 月 十八 号，正好 是 星期六。
Wǒ de shēngri shì shí yuè shíbā hào, zhènghǎo shì xīngqīliù.

A：是 吗？你 打算 怎么 过？
Shì ma? Nǐ dǎsuan zěnme guò?

B：我 准备 举行 一个 生日 晚会。你 也 来 参加，好 吗？
Wǒ zhǔnbèi jǔxíng yí ge shēngri wǎnhuì. Nǐ yě lái cānjiā, hǎo ma?

A：什么 时间 举行？
Shénme shíjiān jǔxíng?

B：星期六 晚上 七点。
Xīngqīliù wǎnshang qī diǎn.

A：在 哪儿？
Zài nǎnr?

B：就 在 我 的 房间。
Jiù zài wǒ de fángjiān.

A：好。我 一定 去。祝 你 生日 快乐！
Hǎo. Wǒ yídìng qù. Zhù nǐ shēngri kuàilè!

B：谢谢！
Xièxie！

二 生词 Shēngcí New Words

1.	年	（名）	nián	year
	今年	（名）	jīnnián	this year
	明年	（名）	míngnián	next year
	后年	（名）	hòunián	the year after next
	去年	（名）	qùnián	last year
2.	毕业		bì yè	to graduate
3.	多	（副）	duō	（used in question） how; to what extent
	多大		duō dà	how old
4.	岁	（量）	suì	... years old
5.	属	（动）	shǔ	to be born in the year of
6.	狗	（名）	gǒu	dog
7.	月	（名）	yuè	month
8.	号	（量）	hào	date in a monfh
9.	生日	（名）	shēngri	birthday
10.	正好	（副、形）	zhènghǎo	happen to; just right
11.	打算	（动、名）	dǎsuan	to intend; plan
12.	过	（动）	guò	to celebrate; to spend （a holiday）; to pass（time）
13.	准备	（动）	zhǔnbèi	to prepare
14.	举行	（动）	jǔxíng	to hold

15.	晚会	（名）	wǎnhuì	evening party
16.	参加	（动）	cānjiā	to join; to participate
17.	时间	（名）	shíjiān	time
18.	点（钟）	（量）	diǎn（zhōng）	o'clock
19.	就	（副）	jiù	exactly; precisely
20.	一定	（副）	yídìng	surely; definitely; certainly
21.	祝	（动）	zhù	to wish
22.	快乐	（形）	kuàilè	happy; joyful; cheerful
23.	祝你生日快乐		zhù nǐ shēngri kuàilè	Happy birthday to you!

三 注释 Zhùshì Notes

（一）属狗 to be born in the Year of Dog

“属”的意思是用十二属相来记生年。这十二属相是十二种动物，即鼠、牛、虎、兔、龙、蛇、马、羊、猴、鸡、狗、猪。

“属” refers to names of any of the 12 symbolic animals associated with a 12-year cycle, and is often used to denote a person's year of birth. These 12 animals are rat, ox, tiger, rabbit, dragon, snake, horse, goat, monkey, rooster, dog and pig.

（二）是吗？ Is that so?

表示惊讶、惊喜等语气。

Expressing a mood of amazement and pleasant surprise.

（三）就在我的房间 right in my dormitory

副词“就”在这里表示强调。

Here the adverb “就” indicates an emphasis.

四 语法 Yǔfǎ Grammar

（一）名词谓语句 the sentence with a nominal predicate

名词谓语句是名词、名词词组、数量词、时间词等作谓语的句子。其语序是：主语（S）＋谓语（N）。意思是“S是P”，但谓语前不用“是”。否定句用“不是＋名词（N）”。名词谓语句表达时间、价格、日期、数量、天气、年龄、籍贯等。例如：

When a sentence in which a noun, noun phrase, numeral— classifier compound, or temporal word functions as the predicate, we say it is a sentence with a nominal predicate. Its grammatical order is: Subject（S） ＋ Predicate（N）, meaning “S is P”. “是” is not used before the predicate. The negative form is “不是 ＋ Noun（N）”. Such a sentence is often used to express time, price, date, amount, weather, age, or one's native place, etc., e. g.

（1）A：今天几号？
　　 B：今天十月八号。

（2）A：今天星期几？
　　 B：今天星期二。

（3）A：苹果一斤多少钱？
　　 B：一斤两块五。

（4）他二十岁。

（5）明天阴天（yīntiān：a cloudy day）。

（6）我中国人，他美国人。

（7）A：现在几点？
　　 B：现在八点半。

（二）年、月、日 Year，month，day

1. 年的读法 How to read the years

1840 年	yī bā sì líng nián
1949 年	yī jiǔ sì jiǔ nián
1978 年	yī jiǔ qī bā nián
2008 年	èr líng líng bā nián

2. 12 个月份的名称 Names of the 12 months

一月	二月	三月	四月	五月	六月
七月	八月	九月	十月	十一月	十二月

3. 日期的名称 The date

一日（号） 二日（号） 三日（号） 四日（号） 五日（号）

六日（号） 七日（号） 八日（号） 九日（号） 十日（号）

十一日（号）…………………………………… 二十日（号）

二十一日（号）……………………………… 三十日（号）

三十一日（号）

4. 日期的表达顺序是：年、月、日

The order for the expression of a date is：year，month，day.

1919 年 5 月 4 日（号）

1949 年 10 月 1 日

“日”和“号”都表示某一天，“日”用于书面语；“号”用于口语。

Both “日” and “号” mean a particular day. “日” is used in writing；“号” is used in the spoken language.

表达日期、星期等时间可以用名词谓语句也可以用“是”字句。例如：

A sentence with a nominal predicate and the 是 sentence can also be used to indicate dates and weeks，etc.，e. g.

今天是十月二十七号。

今天是星期三。

（三）怎么问（6）：疑问语调

Interrogation (6): The sentences with interrogative tones

陈述句只要带上疑问语气就构成一个疑问句。例如：

An indicative sentence becomes a question if the interrogative tone is used.

（1） 你属狗？

（2） 你今年二十岁？

（3） 他也参加？

五 语音 Yǔyīn Phonetics

语调 Intonation

用疑问语调来提问时句尾是上升语调。例如：

When we raise a question with an interrogative tone, we use the rising tone at the end of the sentence, e. g.

你属狗？↑

你今年二十岁？↑

他也去？↑

六 练习 Liànxí Exercises

1 语音 Phonetics

（1） 辨音辨调 Pronunciations and tones

shēngri	shènglì	jīnnián	qīngnián
kuàilè	kuài le	zhènghǎo	zhēn hǎo

shíjiān　　shíjiàn　　yídìng　　yùdìng

（2）多音节连读　Multisyllabic liaison

Guóqìng Jié　　Zhōngqiū Jié　　Jiàoshī Jié

Láodòng Jié　　Fùnǚ Jié　　Shèngdàn Jié

（3）朗读　Read out the following phrases

祝你生日快乐　　祝你新年快乐

祝你圣诞快乐　　祝你春节快乐

过生日　　过新年　　过圣诞节　　过春节

一定去　　一定来　　一定买　　一定学

打算怎么去　　打算怎么来　　打算怎么过　　打算怎么做

2 替换　Substitution exercises

补充生词　Supplementary words

1. 新年	xīnnián	new year
2. 春节	Chūn Jié	Spring Festival
3. 圣诞节	Shèngdàn Jié	Christmas
4. 健康	jiànkāng	healthy
5. 大后年	dàhòunián	three years from now

（1）A：你哪年大学毕业？

B：我明年大学毕业。

去留学	今年
出国	明年
去中国	后年
回国	大后年

(2) A：你的生日是几月几号？

B：十月二十五号。

国庆节	十月一号
圣诞节	十二月二十五号
她的生日	六月八号
今年的春节	一月二十八号

(3) A：你星期一去还是星期二去？

B：我星期二去。

今天	明天
今年	明年
这个星期	下个星期
这个月	下个月

(4) A：这个月十号是星期几？

B：星期六。

明年春节	星期四
今年圣诞节	星期三
你的生日	星期二
十月一号	星期一

(5) A：祝你生日快乐！

B：谢谢！

新年快乐	春节快乐
圣诞快乐	身体健康

(6) A：他今年多大？

B：十八岁。（他今年十八岁。）

十九	二十
二十二	二十五

3 选词填空 Choose the right words to fill in the blanks

参加	打算	号	在	正好	快乐

(1) 你的生日是几月几________？

(2) 祝你生日________！

(3) 她的生日________是星期六。

(4) 我________毕业后当翻译。

(5) 我一定________你的生日晚会。

(6) 晚上七点________学校举行欢迎会。

4 读出下列年月日 Read out the following dates

1919 年 5 月 4 日　　1949 年 10 月 1 日

1997 年 7 月 1 日　　2008 年 8 月 15 日

2010 年 1 月 1 日

5 用疑问语气提问 Ask questions with the interrogative tones

(1) A：________________________？

B：他是中国人。

(2) A：________________________________？

B：这是我的。

(3) A：________________________________？

B：我去上海。

(4) A：________________________________？

B：一件四百块。

(5) A：________________________________？

B：今天十八号。

(6) A：________________________________？

B：对，明天是我的生日。

6 根据实际情况回答下列问题

Answer the questions according to actual situations

(1) 今天是几月几号？星期几？

____

(2) 你的生日是几月几号？

____

(3) 你怎么过生日？

____

(4) 生日晚会在哪儿举行？

____

(5) 谁来参加你的生日晚会？

____

(6) 你今年多大？

____

7 成段表达 Express yourself

爸爸妈妈：

好久没有给你们写信了，你们身体好吗？

我很好。你们给我寄的生日礼物很好看。谢谢！

今天我在宿舍举行生日晚会。我们班的同学和几个中国朋友都来参加。同学们送我很多礼物。中国朋友田芳送我一只玩具小狗，她说我是属狗的。我不懂什么是"属狗的"，田芳说，我是狗年出生的，所以属狗。我觉得很有意思。

晚会上，我们一起唱歌，吃蛋糕，玩得都很高兴。能在中国跟同学们一起过生日，我觉得很快乐。

祝爸爸妈妈好！

玛 丽

十月十八

补充生词 Supplementary words

1. 礼物	lǐwù	present; gift
2. 玩具	wánjù	toy
3. 有意思	yǒu yìsi	interesting
4. 出生	chūshēng	to be born
5. 唱歌	chàng gē	to sing (a song)
6. 蛋糕	dàngāo	cake

8 写汉字 Learn to write

年	丿	𠂉	𠂒	乍	左	年					
月	丿	刀	月	月							
岁	丨	山	山	屮	岁	岁					
祝	丶	礻	礻	礻	祀	祝	祝				
快	丶	忄	忄	忄	快	快					
过	一	寸	寸	讨	讨	过					
定	丶	宀	宀	宀	宁	宇	定	定			
毕	一	上	比	比	毕	毕					
业	丨	丨丨	丬	业	业						
举	丶	丷	丷	兴	兴	兴	举	举	举		
出	丨	屮	屮	出	出						
打	一	扌	扌	扌	打						
准	丶	冫	冫	冫	冫	冫	准	准	准		
备	夂	夂	冬	各	各	备	备	备			
加	乛	力	加								

窗口 Chuāngkǒu **Window**

十二生肖 The 12 symbolic animals

鼠	牛	虎	兔	龙	蛇
shǔ	niú	hǔ	tù	lóng	shé
mouse	ox	tiger	rabbit	dragon	snake
马	羊	猴	鸡	狗	猪
mǎ	yáng	hóu	jī	gǒu	zhū
horse	sheep	monkey	cock	dog	pig

Lesson 21

Dì èrshíyī kè
第二十一课

Wǒmen míngtiān qī diǎn yí kè chūfā
我们明天七点一刻出发

一 课文 Kèwén Text

（一）我的一天

我每天早上六点半起床，七点吃早饭。
Wǒ měi tiān zǎoshang liù diǎn bàn qǐ chuáng, qī diǎn chī zǎofàn.

差十分八点去教室，八点上课。上午我们有
Chà shí fēn bā diǎn qù jiàoshì, bā diǎn shàng kè. Shàngwǔ wǒmen yǒu

四节课，十二点下课。中午我去食堂吃午饭。
sì jié kè, shí'èr diǎn xià kè. Zhōngwǔ wǒ qù shítáng chī wǔfàn.

午饭以后，我常常去朋友那儿聊天儿。下午
Wǔfàn yǐhòu, wǒ chángchang qù péngyou nàr liáo tiānr. Xiàwǔ

没有课的时候，我去图书馆看书，或者跟中国
méiyǒu kè de shíhou, wǒ qù túshūguǎn kàn shū, huòzhě gēn Zhōngguó

朋友一起练习口语。有时候在宿舍看电影
péngyou yìqǐ liànxí kǒuyǔ. Yǒu shíhou zài sùshè kàn diànyǐng

光盘。
guāngpán.

四 点 我 去 操场 锻炼 身体。五 点 回 宿舍 洗
Sì diǎn wǒ qù cāochǎng duànliàn shēntǐ. Wǔ diǎn huí sùshè xǐ

澡，洗 衣服，六 点 半 或者 七 点 吃 晚饭。晚上 我
zǎo, xǐ yīfu, liù diǎn bàn huòzhě qī diǎn chī wǎnfàn. Wǎnshang wǒ

做 练习、写 汉字、预习 课文 和 生词，然后 看看 电视、
zuò liànxí、xiě Hànzì、yùxí kèwén hé shēngcí, ránhòu kànkan diànshì、

听听 音乐，十一 点 睡 觉。
tīngting yīnyuè, shíyī diǎn shuì jiào.

（二）明天早上七点一刻出发

老师：同学们，明天 我们 去 爬 山。
lǎoshī: Tóngxuémen, míngtiān wǒmen qù pá shān.

山 本：太 好 了！老师，您去 吗？
Shānběn: Tài hǎo le! Lǎoshī, nín qù ma?

老师：去。一 年级 的 老师 和 学生 都 去。
lǎoshī: Qù. Yī niánjí de lǎoshī hé xuésheng dōu qù.

山 本：明天 什么 时候 出发？
Shānběn: Míngtiān shénme shíhou chūfā?

老师：明天 早上 七点 在 楼 前 集合 上 车，
lǎoshī: Míngtiān zǎoshang qī diǎn zài lóu qián jíhé shàng chē,

七 点 一 刻 准时 出发。
qī diǎn yí kè zhǔnshí chūfā.

山 本：中午 回来 吗？
Shānběn: Zhōngwǔ huílai ma?

老师：　不回来，要带午饭。
lǎoshī:　Bù huílai, yào dài wǔfàn.

山本：　什么时候回来？
Shānběn:　Shénme shíhou huílai?

老师：　下午四点。
lǎoshī:　Xiàwǔ sì diǎn.

二 生词 Shēngcí New Words

1.	每	（代）	měi	every; each
2.	早上	（名）	zǎoshang	morning
3.	半	（名）	bàn	half
4.	起床		qǐ chuáng	to get up
	床	（名）	chuáng	bed
5.	早饭	（名）	zǎofàn	breakfast
	午饭	（名）	wǔfàn	lunch
	晚饭	（名）	wǎnfàn	supper
6.	以后	（名）	yǐhòu	afterwards
7.	差	（动、形）	chà	to fall short of; short
8.	分（钟）	（名、量）	fēn (zhōng)	minute
9.	上课		shàng kè	to go to class; to attend class
10.	节	（量）	jié	(a classifier for class)
11.	教室	（名）	jiàoshì	classroom
12.	操场	（名）	cāochǎng	playground; sports ground
13.	锻炼	（动）	duànliàn	to do physical exercise

14.	洗澡		xǐ zǎo	to take a shower; to bathe
	洗	（动）	xǐ	to wash
15.	然后	（副）	ránhòu	then
16.	睡觉		shuì jiào	to sleep
17.	爬	（动）	pá	to climb; to crawl; to get up
18.	们	（尾）	men	(a suffix expressing plural)
19.	山	（名）	shān	mountain; hill
20.	年级	（名）	niánjí	grade
21.	出发	（动）	chūfā	to start out
22.	前	（名）	qián	front
23.	集合	（动）	jíhé	to assemble; to get together
24.	刻	（量）	kè	quarter
25.	上车		shàng chē	to get on a bus, car, bike, etc.
	下车		xià chē	to get off a bus, car, bike, etc.
26.	准时	（形）	zhǔnshí	punctual; on time
27.	带	（动）	dài	to take; to bring; to carry with oneself

专名 Zhuānmíng **Proper name**

山本	Shānběn	Yamahon (name of a Japanese)

三 注释 Zhùshì Notes 

（一）我去朋友那儿聊天儿 I'm going to have a chat with my friends.

"来"、"去"、"在"、"从"、"到"等动词或介词后边要求处所宾语，如果是代表人的名词或代词，必须在这些名词或代词后面加上"这儿"或"那儿"，使它表示处所。例如：

The verbs and prepositions such as "来", "去", "在", "从" and "到", etc. require an object of location to follow them. If the object is a noun or a pronoun, the words "这儿" or "那儿" must be added after it to indicate location, e. g.

(1) 她明天来我这儿。

(2) 我去王老师那儿。

(二) 同学们 students, classmates

"们"用在代词或指人的名词后边表示复数。例如:

"们" is an indicator for plural (number) and is used immediately after pronouns and the nouns referring to people, e. g.

你们　我们　他们　咱们　老师们　同学们　朋友们

名词前有表示数量的词语或表示多数的修饰语时，后边不能加"们"。

If a noun has already been preceded by numerals or modifiers indicating plurality, "们" is not added.

不能说: * 三个留学生们。

* 我有很多朋友们。

四 语法 Yǔfǎ Grammar

时间的表达 Indicating the time

1. 时刻的表达 Indicating a particular point of time

汉语表达时刻的词语是: 点 (钟)、刻、分等。问时刻要说: 现在几点? 例如:

The Chinese words used to indicate a particular moment are: 点 (hour), 刻

(quarter)，分（minute），etc. When we ask about time，we say：现在几点（What time is it now）? For example

A：现在几点？

B：现在八点。

8：00　　八点

8：05　　八点零五（分）

8：15　　八点一刻/八点十五（分）

8：30　　八点半/八点三十（分）

8：45　　八点三刻/八点四十五（分）/差一刻九点

8：55　　八点五十五（分）/差五分九点

2. 汉语表达时间的顺序是从大的时间单位到小的时间单位。例如：

The sequence in expression of time is from the largest unit to the smallest，e. g.

年、月、日、点钟、分

1949 年 10 月 1 日上午八点二十分

2008 年 10 月 25 日 晚上十点半

3. 表达时间的词语在句子中可以作主语、谓语、定语和状语。例如：

Temporal words（words about time）may be used as the subject，predicate，attributive and adverbial in a sentence.

（1）现在八点半。

（2）今天星期五。

（3）我看晚上七点一刻的电影。

（4）我明天上午有课。

4. 句子中如果既有地点状语又有时间状语时，时间状语常常放在地点状语之前。例如：

If a sentence contains both an adverbial of place and an adverbial of time，the time adverbial is normally placed before the place adverbial, e. g.

(1) 我晚上在宿舍看书。/晚上我在宿舍看书。

不说: *我在宿舍晚上看书。

(2) 去年我在北京学习。/我去年在北京学习。

不说: *我在北京去年学习。

五 语音 Yǔyīn Phonetics

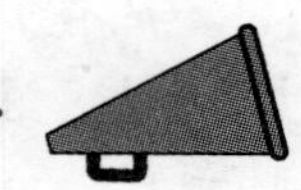

(一) 词重音 Word stress

数量词组中数词要重读，量词轻读。例如：

In a numeral-classifier phrase the numeral is stressed, the classifier unstressed, e. g.

五本词典　　三本书　　六个学生　　七件毛衣

(二) 句重音 Sentence stress

"几" 在问句中要重读。例如：

"几" is stressed in a question, e. g.

你'几点起床?

你有'几本词典?

六 练习 Liànxí Exercises

1 语音 Phonetics

(1) 辨音辨调 Pronunciations and tones

měi tiān	míngtiān	qǐ chuáng	qìchuán
chūfā	shūfǎ	jiàoshì	jiàoshī
xǐ zǎo	qǐ zǎo	shuì jiào	shuǐdào

（2）多音节连读　Multisyllabic liaison

yí piàn hǎoxīn	yì fān fēng shùn
yì wǔ yì shí	yì xīn yí yì
yì yán wéi dìng	yíqiè shùnlì

（3）朗读　Read out the following phrases

每天	每星期	每月	每年
每个同学	每件大衣	每个老师	
八点半	十点半	半天	
半月	半年	半个	
上课	上车	上学	
带午饭	带词典	带钱	

2 替换　Substitution exercises

补充生词　Supplementary words

1. 课间	kèjiān	break（between classes）
2. 上班	shàng bān	to go to work
3. 下班	xià bān	to get off work

（1）A：现在几点？

B：<u>七点半</u>。

八点一刻	十二点
差十分十点	两点
十一点	十二点

（2）A：你每天几点<u>上课</u>？

B：<u>八点</u> <u>上课</u>。

起床	六点半
吃早饭	七点
下课	十二点
吃午饭	十二点一刻
锻炼身体	下午四点
吃晚饭	六点

(3) A：什么时候出发？

B：七点一刻 出发。

上课	八点
下课	十二点
去商店	下午四点
看电影	晚上七点
做练习	晚上七点半
睡觉	十点半

(4) A：你六点半 起床还是七点 起床？

B：我六点半 起床。

7：00	出发	7：30
8：00	上课	9：00
12：00	下课	1：00
6：30	吃晚饭	7：00
10：00	睡觉	11：00

(5) A：你要什么？

B：我要啤酒。

A：你要几瓶？

B：两瓶。

苹果	两斤
咖啡	四杯
邮票	八张
馒头	两个
米饭	一碗
杂志	三本

3 选词填空 Choose the right words to fill in the blanks

(1) 现在几________？

(2) 现在八点一________。

(3) 我________天下午都去操场锻炼身体。

(4) 我每天________七点半起床，八点吃早饭，八点四十五去教室。

(5) 每________都有很多留学生来中国学习。

(6) 晚上，我散散步，________电视或者朋友一起聊聊天儿。

(7) 你________几点睡觉？

(8) 晚上我十一点半________。

4 读出下列时刻 Read out the following time

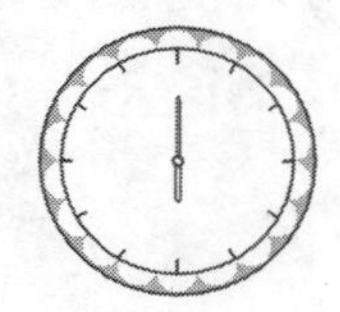 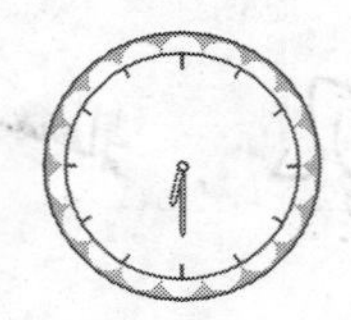  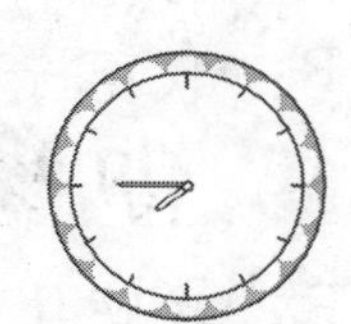

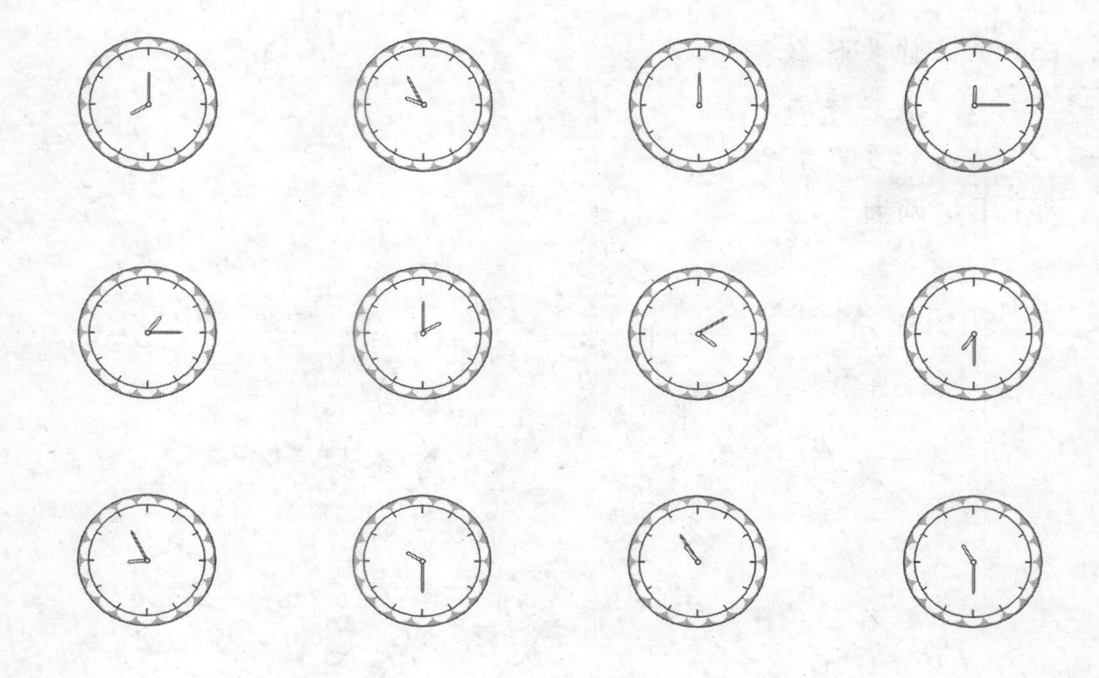

5 完成会话 Complete the following dialogues

A：________________？

B：我明天早上六点起床。

A：________________？

B：七点半吃早饭。

A：________________？

B：我们每天九点上课。

A：________________？

B：明天下午四点下课。

A：________________？

B：我下午四点半锻炼身体。

A：________________？

B：我晚上看电视。

A：________________？

B：我十一点半睡觉。

6 根据实际情况回答下列问题 Answer the questions according to actual situations

(1) 你几点起床？

____

(2) 早上吃早饭吗？

____

(3) 上午几点上课（班）？

____

(4) 几点下课（班）？

____

(5) 什么时候吃午饭？

____

(6) 下午几点下课（班）？

____

(7) 你什么时候锻炼身体？

____

(8) 几点吃晚饭？

____

(9) 晚上你常做什么？

____

(10) 你常看电视吗？

____

(11) 什么时候做作业？

____

(12) 几点睡觉？

____

7 成段表达 Express yourself

爱德华的一天

爱德华是加拿大留学生，现在在我们大学学习汉语。他学习很努力。每天差十分七点起床，早上他不锻炼身体，也不吃早饭。他读课文、记生词、复习语法。他七点三刻去教室，八点上课。上午有四节课。休息的时候，他去喝一杯咖啡，吃一点儿东西。十二点下课。下课以后他去食堂吃午饭。中午他不睡觉，常常看书或者跟朋友聊天儿。星期二下午有两节课，两点上课，四点下课。下午没有课的时候，他常常去图书馆做练习，看书，或者上网查资料。

每天四点半，他去操场锻炼身体，跑步、打球，五点半回宿舍，洗澡、洗衣服。七点钟吃晚饭。晚上他看电视、听音乐、写汉字、做练习、预习生词和课文，十一点多睡觉。

爱德华每天都很忙。他说，学习汉语比较难，但是（dànshì, but）很有意思。

8 写汉字 Learn to write

早
半
床
洗
澡

操	一	扌	扌	扩	护	掃	操	操	操	操	
场	一	十	土	圬	场	场					
锻	丿	𠂉	𠂒	钅	钅	钅	钅	钅	钅	钅	钅
	钅	锻	锻								
炼	火	炉	炸	炼	炼	炼					
睡	日	旷	旷	旺	睡	睡	睡	睡	睡		
觉	丶	丷	⺌	𭕄	学	学	学	学	觉		
山	丨	山	山								
级	𠃋	纟	纟	纟	级	级					
前	丶	丷	䒑	前	前	前					

Lesson 22

Dì èrshí'èr kè 第二十二课 Wǒ dǎsuan qǐng lǎoshī jiāo wǒ jīngjù 我打算请老师教我京剧

一 课文 Kèwén Text

（上课的时候，王老师叫同学们谈谈自己的爱好……）

老师：今天 想 请 大家 谈谈 自己 的 爱好。谁 先 说？
lǎoshī: Jīntiān xiǎng qǐng dàjiā tántan zìjǐ de àihào. Shéi xiān shuō?

玛丽：老师，让 我 先 说 吧。
Mǎlì: Lǎoshī, ràng wǒ xiān shuō ba.

老师：好，你 说 吧。你 有 什么 爱好？
lǎoshī: Hǎo, nǐ shuō ba. Nǐ yǒu shénme àihào?

玛丽：我 的 爱好 是 看 京剧。
Mǎlì: Wǒ de àihào shì kàn jīngjù.

老师：你 喜欢 看 京剧？
lǎoshī: Nǐ xǐhuan kàn jīngjù?

玛丽：是啊，非常 喜欢。我还 想 学 唱 京剧，
Mǎlì：Shì a, fēicháng xǐhuan. Wǒ hái xiǎng xué chàng jīngjù,

打算 请 一 个 老师 教 我。
dǎsuan qǐng yí ge lǎoshī jiāo wǒ.

老师：麦克，你 喜 欢 做 什么？
lǎoshī：Màikè, nǐ xǐhuan zuò shénme?

麦克：我 喜欢 玩 电脑。
Màikè：Wǒ xǐhuan wán diànnǎo.

老师：罗兰 呢？
lǎoshī：Luólán ne?

罗兰：我 喜欢 听 音乐，下课 以后，听听 音乐 或者
Luólán：Wǒ xǐhuan tīng yīnyuè, xià kè yǐhòu, tīngting yīnyuè huòzhě

跟 朋友 聊聊 天儿，感到 心情 很 愉快。
gēn péngyou liáoliao tiānr, gǎndào xīnqíng hěn yúkuài.

老师：田中 业余 时间 常常 做 什么？
lǎoshī：Tiánzhōng yèyú shíjiān chángcháng zuò shénme?

田中：我 来 中国 以前 就 对 书法 特别 感 兴趣。
Tiánzhōng：Wǒ lái Zhōngguó yǐqián jiù duì shūfǎ tèbié gǎn xìngqù.

今年 公司 派 我 来 中国，我 非常 高兴。
Jīnnián gōngsī pài wǒ lái Zhōngguó, wǒ fēicháng gāoxìng.

现在 我 正 跟 一 个 老师 学 书法，还 学 画
Xiànzài wǒ zhèng gēn yí ge lǎoshī xué shūfǎ, hái xué huà

中国 画儿。
Zhōngguó huàr.

二 生词 Shēngcí New Words

1.	叫	（动）	jiào	to call; to ask
2.	让	（动）	ràng	to let; to ask
3.	大家	（代）	dàjiā	everyone; all
4.	谈	（动）	tán	to talk about
5.	自己	（代）	zìjǐ	self; oneself
6.	爱好	（名、动）	àihào	hobby; to like
7.	京剧	（名）	jīngjù	Peking Opera
8.	喜欢	（动）	xǐhuan	to like
9.	非常	（副）	fēicháng	very
10.	唱	（动）	chàng	to sing
11.	玩	（动）	wán	to play with
12.	电脑	（名）	diànnǎo	computer
13.	下课		xià kè	class is over
14.	感到	（动）	gǎndào	to feel; to sense
15.	心情	（名）	xīnqíng	frame (or state) of mind; mood
16.	愉快	（形）	yúkuài	happy; joyful; cheerful
17.	业余	（名）	yèyú	spare time
18.	以前	（名）	yǐqián	before; past
19.	就	（副）	jiù	as early as; already
20.	对	（介）	duì	with regard to; concerning; to
21.	书法	（名）	shūfǎ	calligraphy
22.	特别	（副）	tèbié	specially; particularly
23.	感兴趣		gǎn xìngqù	to be interested in

兴趣	（名）	xìngqù	interest
24. 派	（动）	pài	to send; to dispatch
25. 高兴	（形）	gāoxìng	glad; happy; cheerful
26. 画	（动）	huà	to draw; to paint
27. 画儿	（名）	huàr	picture; drawing

专名 Zhuānmíng Proper name

田中	Tiánzhōng	Tanake (name of a Japanese)

三 注释 Zhùshì Notes

（一）你喜欢看京剧？是啊。 You like to watch Peking Opera? Yes.

"是啊"表示肯定的语气。

"是啊" expresses an affirmative tone.

"啊"受前一个音节尾音影响而发生音变，音变的规则如下：

The pronunciation of "啊" may vary in spoken Chinese. This is determined by the last phoneme of the preceding syllable. The basic rules are as follows:

（1）前一个音节是 a、e、i、o、ü 时，读"ya"。可以写作"呀"。

If the preceding syllable ends with a, e, i, o or ü, it is pronounced as "ya", written as "呀".

（2）前一个音节尾音是 u、ou、ao 时，读"wa"。可以写作"哇"。

If the preceding syllable ends with u, ou, or ao, it is pronounced as "wa", written as "哇".

（3）前一个音节尾音是 n 时，读"na"。可以写作"哪"。

If the preceding syllable ends with n, it is pronounced as "na", written as "哪".

（4）前一个音节的尾音是 ng 时，读"nga"。

If the preceding syllable ends with ng, it is pronounced as "nga".

使用时可以都写作“啊”。

In writing all the above can be “啊”.

（二）“以前”和“以后”　“以前” and “以后”

“以前”、“以后”可以单独用。例如：

“以前” and “以后” can be used independently, e.g.

(1) 以前我是公司职员，现在是留学生。

(2) 现在他是学生，以后想当教师。

前边也可以附加词语，作时间状语。例如：“……以前”，“……以后”。

Words can be added before them and function as adverbials, e.g. “…以前”, “…以后”.

(3) 来中国以前我是公司职员。

(4) 我一个星期以后回来。

（三）我来中国以前就对书法感兴趣。

I was interested in Chinese calligraphy before I came to China.

介宾词组“对 + 名词”在句中作状语表示动作的对象。

The prepositional phrase in the sentence is an adverbial, indicating the target of an action.

(1) 我对书法感兴趣。

不能说：* 我感兴趣书法。

(2) 她对这件事不感兴趣。

四 语法 Yǔfǎ Grammar

兼语句　The pivotal sentence

汉语表达“让某人做某事”的意义时，用兼语句，这种句子的谓语是由两个动宾词组构成的，前一个动词的宾语又是第二个动词的主语，前一个动词常常是“请”、“叫”、“让”等有使令意义的动词。

When we want to express “to ask someone to do something”, we use pivotal constructions. The predicate of a pivotal sentence is formed by two Verb-Object phrases. The object of the first verb is at the same time the subject of the second verb. The first verb in a pivotal sentence is often a causative verb. Such verbs include, for examples, “请”, “叫”, “让” etc.

句子的语序是：

The grammatical order for pivotal sentences is:

主语 + 使令动词(叫、让、请) + 兼语(宾语/主语) + 动词 + 宾语

Subject + Causative verb + Pivotal word (O/S) + Verb + Object

代/名	动词①	宾语 主语	动词②	宾语
(我)	请	你们	谈谈	自己的爱好。
老师	叫	大家	回答	问题。
公司	派	他	来	中国。
我	想请	一个老师	教	我书法。

五 语音 Yǔyīn Phonetics

兼语句的句重音 The stress in the pivotal sentences

兼语＋动词，动词要重读。例如：

In "Pivotal word + verb", the verb is stressed, e. g.

> 请你'回答。
>
> 请你'参加。

兼语＋动词＋宾语，宾语要重读。例如：

In "Pivotal word + verb + object", the object is stressed, e. g.

> 公司派我来'中国。
>
> 请老师教'书法。

六 练习 Liànxí Exercises

1 语音 Phonetics

(1) 辨音辨调 Pronunciations and tones

zìjǐ	zhījǐ	jīngjù	jīngjì
yèyú	yěxǔ	fēicháng	péicháng
xìngqù	xīngqī	yǐqián	yì nián

(2) 多音节连读 Multisyllablic liaison

bù dǒng wàiyǔ	bú bì kèqi	bú yào kuàng kè
bú pà kùnnan	bù nán xué huì	bú yào hòutuì

(3) 朗读 Read out the following phrases

来啊	去啊	跑啊	走啊
好啊	是啊	看啊	想啊
喜欢汉语	喜欢音乐	喜欢学习	喜欢看电视

爱好京剧	爱好音乐	爱好体育	爱好运动
上课以前	睡觉以前	下课以后	回家以后

对玩电脑感兴趣	对京剧感兴趣	对这个不感兴趣
请你说	请大家看	请你们读
派我来中国	派他去上海	让我们谈爱好
请老师教书法	请老师教英语	请老师教京剧

2 替换 Substitution exercises

补充生词 Supplementary words

1. 歌	gē	song
2. 太极拳	tàijíquán	shadow boxing, *taijiquan*
3. 足球	zúqiú	football
4. 比赛	bǐsài	match; game
5. 网球	wǎngqiú	tennis
6. 武术	wǔshù	martial art

(1) A：你请老师教什么？

B：我请老师教京剧。

汉语	英语
电脑	书法
语法	画画儿

(2) A：公司 派 他做什么？

B：公司 派 他 去中国学习汉语。

老师	让	我	回答问题
他	让	我	帮他借书
她	让	我	帮她买邮票
他	请	我	教京剧
他	请	我	喝咖啡
她	请	我	跳舞

(3) A：你有什么爱好？

B：我喜欢看京剧。

练书法	听音乐
看电视	唱中文歌
看足球比赛	爬山

(4) A：业余时间你常常做什么？

B：我常常听音乐。

看电视	看电影
看书	打网球
跟朋友聊天儿	玩电脑

(5) A：你对什么感兴趣？

B：我对书法感兴趣。

太极拳	京剧	武术
中国画	上网	玩电脑

3 选词填空 Choose the right words to fill in the blanks

A. 唱　　对　　让　　爱好　　以前　　喜欢

(1) 我________中国文化非常感兴趣。

(2) 我来中国________是公司职员。

(3) 老师________我们谈谈自己的爱好。

(4) 我________吃中国菜。

(5) A：你有什么________？

B：我的________是画画儿。

(6) 她非常喜欢________京剧。

B. 还是　　或者

(1) A：你喝茶________喝咖啡？

B：我喝茶。

(2) A：下午你去书店________去商店？

B：我去书店。

(3) A：晚上你做什么？

B：我预习生词________复习课文。

(4) A：你喜欢吃米饭________喜欢吃馒头？

B：都不喜欢。我喜欢吃面包。

(5) A：你们怎么去？

B：我们坐车去________骑车去。

4 按照例句做练习 Practise after the models

例：A：你喜欢唱歌吗？

B：喜欢。

A：你喜欢跳舞吗？

B：不喜欢。你呢？

A：我喜欢唱歌，也喜欢跳舞。

听音乐　　　　看京剧

看足球　　　　看乒乓球

吃米饭　　　　吃馒头

打太极拳　　　跑步

游泳　　　　　爬山

5 把括号里的词填入适当的位置

Put the words in the brackets in the proper place

(1) 我 A 很少看电视，有时候我 B 看看 C 天气预报 D。　(只)

(2) 星期六 A 和星期日 B 我 C 常 D 看足球比赛。　(也)

(3) A 她 B 喜欢 C 看 D 京剧。　(非常)

(4) A 业余时间 B 你们 C 做 D 什么？　(常)

(5) A 业余时间 B 我们 C 喜欢 D 看电视。　(都)

6 完成会话 Complete the dialogues

A：休息的时候你们常做什么？

B：______________________________。

A：你喜欢看电视吗？

B：______________________________。

A：喜欢看什么节目？

B：______________________________。

A：______________________________？

B：这个节目很好。

A：星期六和星期日常去旅行吗？

B：______________________________。

A：你喜欢自己一个人去还是和朋友一起去？

No.
Date

No.

Date

B：________________________。

7 改错句 Correct the sentences

(1) 老师给我们去参观。

____

(2) 我非常感兴趣书法。

____

(3) 她请我吃饭去饭店。

____

(4) 请大家不要抽烟在楼里。

____

(5) 我们去香港坐飞机。

____

(6) 请明天你来我的宿舍吧。

____

8 成段表达 Express yourself

玛丽的日记

十月八日　　星期三　　晴

今天上课的时候，老师让我们谈谈自己的爱好。老师让我先说。我说我非常喜欢看京剧。老师感到很惊讶。她问："你喜欢看京剧？"我说我非常喜欢。我知道，在中国，有不少年轻人不喜欢看京剧。我这个"老外"这么喜欢看京剧，老师当然感到很惊讶。

我们班的同学都谈了自己的爱好。麦克说他喜欢玩电脑。他有一个笔记本电脑，业余时间他常常练习在电脑上用汉语写东西。罗兰喜欢音乐。她说下课以后听听音乐，跟朋友聊聊天，感到心情很愉快。田中同学说，他来中国以前就对书法很感兴趣。他现在正跟一个老师学习书法。我也打算学唱京剧，想请一个老师教我。我希望以后能参加演出。

补充生词 Supplementary words

1. 惊讶	jīngyà	surprised
2. 老外	lǎowài	foreigner
3. 笔记本	bǐjìběn	notebook
4. 希望	xīwàng	to hope；to aspire
5. 演出	yǎnchū	to perform；performance

9 写汉字 Learn to write

己

爱

非

特

让

谈

喜

剧	㇇	コ	尸	尸	尸	居	居	剧			
高	丶	亠	亠	亠	高	高					
感	一	厂	厂	后	咸	咸	咸	感			
兴	丶	⺍	⺍	兴	兴	兴					
趣	走	走	走	趄	趄	趄	趄	趣			
地	一	十	土	圵	地	地					
派	丶	氵	氵	沂	沂	派	派	派	派		
余	丿	人	仐	全	余	余	余				

Lesson 23

Dì èrshísān kè
第二十三课

xuéxiào lǐbian yǒu yóujú ma
学校里边有邮局吗

一 课文 Kèwén Text

（一）学校里边有邮局吗

山　本：学校 里边 有 邮局 吗？
Shānběn: Xuéxiào lǐbian yǒu yóujú ma?

张　东：有。
Zhāng Dōng: Yǒu.

山　本：邮局 在 哪儿？
Shānběn: Yóujú zài nǎr?

张　东：在 图书馆 西边。
Zhāng Dōng: Zài túshūguǎn xībian.

山　本：离 这儿 远 吗？
Shānběn: Lí zhèr yuǎn ma?

张　东：不 远。很 近。
Zhāng Dōng: Bù yuǎn. Hěn jìn.

山 本： 图书馆 东边 是 什么 地方？
Shānběn: Túshūguǎn dōngbian shì shénme dìfang?

张 东： 图书馆 东边 是 一个 足球场。
Zhāng Dōng: Túshūguǎn dōngbian shì yí ge zúqiúchǎng.

（二）从这儿到博物馆有多远

玛丽： 劳驾，我 打听 一下儿，博物馆 在 哪儿？
Mǎlì: Láojià, wǒ dǎting yíxiàr, bówùguǎn zài nǎr?

路人： 博物馆 在 东边， 在 和平 公园 和 人民 广场 中间。
lùrén: Bówùguǎn zài dōngbian, zài Hépíng Gōngyuán hé Rénmín Guǎngchǎng zhōngjiān.

玛丽： 离 这儿 有 多 远？
Mǎlì: Lí zhèr yǒu duō yuǎn?

路人： 从 这儿 到 那儿 大概 有 七 八 百 米。
lùrén: Cóng zhèr dào nàr dàgài yǒu qī bā bǎi mǐ.

玛丽： 怎么 走 呢？
Mǎlì: Zěnme zǒu ne?

路人： 你 从 这儿 一直 往 东 走，到 红绿灯 那儿 往 左 拐，马路 东边 有 一 座 白色 的 大 楼，那 就 是 博物馆。
lùrén: Nǐ cóng zhèr yìzhí wǎng dōng zǒu, dào hónglǜdēng nàr wǎng zuǒ guǎi, mǎlù dōngbian yǒu yí zuò báisè de dà lóu, nà jiù shì bówùguǎn.

玛丽：谢谢您！
Mǎlì: Xièxie nín!

路人：不客气。
lùrén: Bú kèqi.

二 生词 Shēngcí New Words

1. …边	（名）	…biān	side
东边	（名）	dōngbian	in the east
西边	（名）	xībian	in the west
南边	（名）	nánbian	in the south
北边	（名）	běibian	in the north
前边	（名）	qiánbian	in the front
后边	（名）	hòubian	at the back
左边	（名）	zuǒbian	on the left
右边	（名）	yòubian	on the right
里边	（名）	lǐbian	inside
外边	（名）	wàibian	outside
上边	（名）	shàngbian	above; over
下边	（名）	xiàbian	under; below
2. 离	（介）	lí	from
3. 远	（形）	yuǎn	far away in time or space; distant
4. 近	（形）	jìn	near; close
5. 地方	（名）	dìfang	place
6. 足球场	（名）	zúqiúchǎng	football field
足球	（名）	zúqiú	football; soccer

7.	劳驾		láo jià	excuse me; may I trouble you; would you please
8.	打听	(动)	dǎting	to ask about
9.	博物馆	(名)	bówùguǎn	museum
10.	和平	(名)	hépíng	peace
11.	广场	(名)	guǎngchǎng	square
12.	中间	(名)	zhōngjiān	middle
13.	从	(介)	cóng	from (a time, a place, or a point of view)
14.	到	(动)	dào	to arrive; to reach
15.	米	(量)	mǐ	metre
16.	一直	(副)	yìzhí	(indicating one direction); straight
17.	红绿灯	(名)	hónglǜdēng	traffic lights
	绿	(形)	lǜ	green
	灯	(名)	dēng	lamp; lights
18.	往	(介)	wǎng	towards; to
19.	左	(名)	zuǒ	left; the left side
	右	(名)	yòu	right
20.	拐	(动)	guǎi	to turn
21.	马路	(名)	mǎlù	road; street
	路	(名)	lù	road
22.	座	(量)	zuò	(a classifier for building, mountain, etc.)
23.	白色	(形)	báisè	white

三 注释 Zhùshì Notes

（一）离这儿有多远？ How far is it from here?

句中“有”表示估量。例如：

“有” in the sentence denotes estimation or assessment, e. g.

（1）她有二十岁。

（2）从这儿到博物馆有两三公里。

（二）有七八百米 around seven to eight hundred meters

汉语用相邻的两个数词连用表示概数。例如：

When two (usually neighbouring) numerals are used together, they suggest an approximate number, amount, or quantity, e. g.

五六百米、三四公里、十七八个、二十三四岁

（三）多……？ How...?

汉语用“多（How）+远/高/大/重/长？”询问距离、高度、年龄/面积、重量、长度等。

In Chinese one use “多 + 远（far）/高（tall）/大（large）/重（weight）/长（long）?” etc, to ask about distance, height, size/age, weight, length, etc.

1. 问距离 Asking about distance:

A：从学校到博物馆馆（有）多远？

B：有五六公里。

2. 问高度 Asking about height:

A：你多高？

B：一米七八。

3. 问年龄 Asking about age:

A：小王多大？

B：他二十岁。

4. 问重量 Asking aboat weight：

A：这个箱子多重？

B：20 公斤。

5. 问长度 asking about length：

A：长江有多长？

B：6300 多公里。

四 语法 Yǔfǎ Grammar

（一）方位词 Location words

表示方向位置的名词叫方位词。汉语的方位词有：

Location words are words denoting directions or locations. Location words in Chinese include the following：

	东	西	南	北	前	后	左	右	上	下	里	外
边 biān	东边	西边	南边	北边	前边	后边	左边	右边	上边	下边	里边	外边

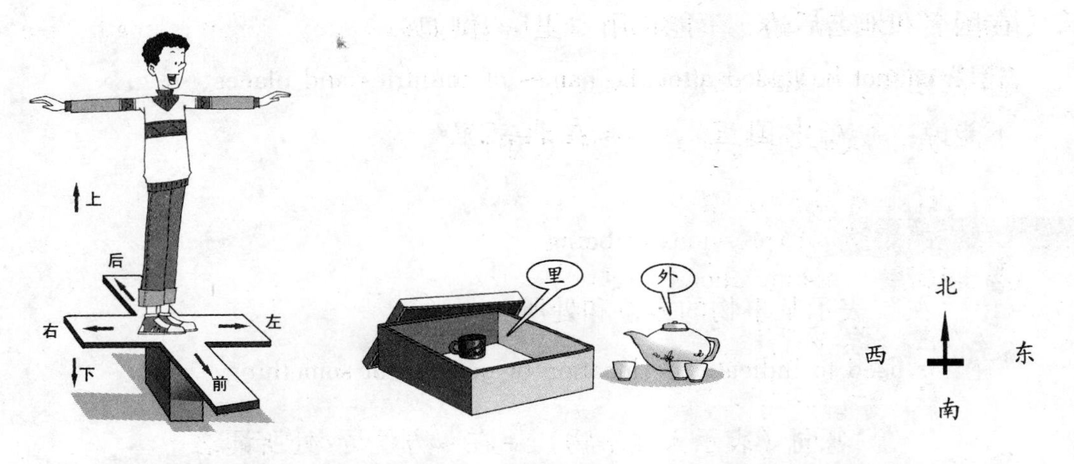

方位词跟名词一样可以在句中作主语、宾语、定语或中心语。例如：

Like a noun，a location word may be used as the subject，object，attributive or the center-word，e. g.

(1) 里边有个人。

(2) 邮局在西边。

(3) 左边的椅子是我的。

(4) 前边的学生是我们班的。

(5) 图书馆里边有很多阅览室。

方位词作定语时后边要用“的”。例如:

When a location word is used as an attributive, a “的” is added after it.

外边儿的教室　　里边儿的房间　　前边儿的同学

方位词作中心语时,前边一般不用“的”。例如:

When a location word is used as the center-word, “的” is mostly not added.

教室里边　　学校外边　　邮局东边

“里边”和“上边”和前边的名词结合时,“边”常常省略。例如:

When “里边” and “上边” are combined with the nouns that precede them, “边” is often omitted, e. g.

(7) 屋子里有很多人。

(8) 桌子上有很多书。

在国名和地名后边,不能再用“里”。例如:

“里” cannot be added after the names of countries and places, e. g.

不能说: *在中国里　　*在北京里

(二) 存在的表达 Expressions of being

1. “在”表示某事物的方位和处所

“在” is used to indicate the location or position of something.

> 名词(表示人或事物) +在+方位词/处所词语
> Noun (someone or something) + 在 + Location word

名词	在	方位/处所词
邮局	在	东边。
食堂	在	那边。
玛丽	在	教室里（边）。

2. “有”表示某处存在某人或某物

“有” is used to indicate the existence of someone or something in a particular place.

方位词/处所词语 + 有 + 名词（表示存在的人或物）
Location word + 有 + Noun (someone or something)

处所词语	（没）有	事物名词/数量名词组
学校里边	有	一个邮局。
邮局旁边	有	一个商店。
门前	有	很多自行车。
我的宿舍里	没有	电话。

3. 当知道某处有某人或某物时，要求确指某人是谁、某物是什么时，用：

When we know there is someone or something in a particular place but we want to know more specifically who he/she is or what it is, we use the pattern:

方位词/处所词 + 是 + 名词
Location word + 是 + Noun

处所词语	是	事物名词
这个包里	是	什么东西？
这个包里	是	书和词典。
玛丽前边	是	麦克。

（三）介词“离”、“从”、“往”　Prepositions “离”，“从”，“往”

介词“离”、“从”、“往”都可以和处所词一起放在动词前边作状语，表示动作地点、起点、方向等。如图示：

The prepositions “离”，“从”，“往” can all be used with place name and together placed before verbs to function as adverbials and indicate the location , starting point, direction, etc. of an act.

> 表示距离：离 + 处所词
> Indicating a distance：离 + Place name

（1）北京离上海1462公里。（上海离北京1462公里。）

不能说：＊北京从上海1462公里。（＊上海从北京1462公里。）

> 表示起点：从 + 方位词/处所词/时间词
> Indicating the starting point：从 + Location word/ Place/ Position/Temporal word

（2）太阳从东边升起。

（3）他从美国来中国。

（4）我们从八点开始上课。

（5）玛丽从学校去大使馆。

> 表示方向：往 + 方位词/处所词
> Indicating direction：往 + Location word/Place

(6) 从这儿往东走。

(7) 我要往那边去，你呢？

(8) 往前一直走就是博物馆。

五 语音 Yǔyīn Phonetics

动词“有”、“是”表示存在时要轻读。例如：

The verbs “有” and “是”, when used to indicate an existence, are unstressed.

A：学校里边有'邮局吗？

B：学校里边有'邮局。

A：宿舍楼东边儿是'什么地方？

B：宿舍楼东边儿是一个'足球场。

六 练习 Liànxí Exercises

1 语音 Phonetics

(1) 辨音辨调 Pronunciations and tones

dìfang　dīfáng　zúqiú　chūqiū

gōnglǐ　kōngqì　zhōngjiān　zhòngdiǎn

yìzhí　yì zhī　dà lóu　dǎ qiú

(2) 多音节词 Multisyllablic liaison

dōngbian　xībian　nánbian　běibian

shàngbian　xiàbian　zuǒbian　yòubian

lǐbian　wàibian　qiánbian　hòubian

(3) 朗读 Read out the following phrases

往前走　往后走　往左走　往右走

往东跑　往西开　往南看　往北去

往里坐	往外坐	往左拐	往右拐

食堂在哪儿	图书馆在哪儿	医院在哪儿
邮局在哪儿	博物馆在哪儿	银行在哪儿

到学校	到医院	到北京
到红绿灯那儿	去朋友那儿	在老师那儿
离家不远	离学校很近	离这儿很远
有多长	有多远	有多大

2 替换 Substitution exercises

补充生词 Supplementary words

1. 平方米	píngfāngmǐ	square meter
2. 高	gāo	high; tall

(1) A：这个包里有什么？

B：有一些书和一本词典。

一个手机	两本书
一件毛衣	一些日用品
两本杂志	一些照片
几个橘子	一些中药

(2) A：学校里边有邮局吗？

B：有。

银行	医院
书店	饭店

（3）A：邮局在哪儿？

B：在东边。

A：离这儿远不远？

B：不远。

西边	前边
南边	后边
北边	里边

（4）A：去邮局怎么走？

B：从这儿一直往东走，到红绿灯那儿往右拐。

西	南
北	前

（5）A：学校西边是什么地方？

B：西边是一个超市。

医院	书店
邮局	博物馆

（6）A：博物馆有多远？

B：大概七八百米。

这个房间	大	二三十平方米
那个楼	高	三四百米
这个箱子	重	二三十公斤
那条河	长	四五千公里

3 选词填空 Choose the right words to fill in the blanks

(1) ________这儿一直往前走，到红绿灯那儿往左拐。

A. 在　　B. 离　　C. 从　　D. 到

(2) 我们学校就________公园东边。

A. 是　　B. 在　　C. 有　　D. 从

(3) 我________学校去公园，她________家去。

A. 在　　B. 离　　C. 往　　D. 从

(4) 邮局东边________中国银行。

A. 有　　B. 在　　C. 是　　D. 到

(5) 学校西边________超市、公园和书店，还________一个电影院。

A. 是　　B. 在　　C. 有　　D. 往

(6) 我先去上海，再________上海去广州。

A. 在　　B. 离　　C. 从　　D. 给

(7) 我常________爸爸妈妈打电话，不常写信。

A. 跟　　B. 往　　C. 给　　D. 到

(8) 明天我________朋友一起去商店买东西。

A. 跟　　B. 给　　C. 从　　D. 在

4 完成会话 Complete the dialogues

A：________________________________？

B：这是我的书包。

A：________________________________？

B：里边有一个手机。

A：________________________________？

B：我的手机是新的。

A：________________________________？

B：还有一个钱包（qiánbāo：wallet）。

A：________________________________？

B：我的钱包是黑色的。

A：________________________________？

B：钱包里有五百多块钱。

A：________________________________？

B：还有一本汉语词典。

5 改错句 Correct the sentences

(1) 博物馆是马路的东边。

____

(2) 你喝咖啡或者喝茶？

____

(3) 我们学校图书馆很多有中文书。

____

(4) 我们班有十七、十八个学生。

____

(5) 桌子上有一些本书。

____

(6) 今天的天气一点儿冷。

____

6 根据实际情况回答下列问题 Answer the questions according to actual situations

(1) 你住哪儿？

____

(2) 你住的地方离学校远吗？

____

(3) 你每天怎么来学校？

____

(4) 你住的地方有书店吗？

____

(5) 你常去书店买书吗？

____

(6) 你骑车去还是坐车去？

____

(7) 你一个人去还是跟朋友一起去？

____

(8) 你喜欢看什么书？

____

7 看图说话 Describe the pictures

例：A：车站在哪儿？
　　B：车站在北边。
　　A：车站西边是什么地方？
　　B：是旅馆。

(1)

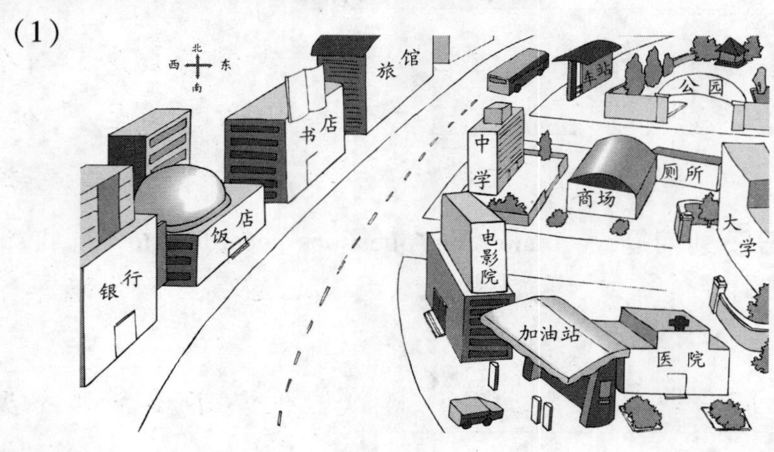

(2)

8 成段表达 Express yourself

我迷路了

星期天，我一个人去城里玩儿。要回学校的时候，已经很晚了。我迷路了，不知道公共汽车站在哪儿。

我问一个人，去语言大学怎么坐车，那个人说，他不是北京人，不知道。这时候来了一辆出租车。

司机问我："小姐，你去哪儿？"

"回学校，"我说："能告诉我去语言大学怎么走吗？"

他说："上车吧，我送你回学校。"我说："对不起，我不坐出租车，我要坐公共汽车。"

这时候，前边有几个学生，我问他们去语言大学怎么走。一个男生说："你是留学生吧？"我说："是，我是语言大学的学生。"他说："你跟我们一起走吧，我们是北京大学的。你们学校就在我们学校东边。"

我跟他们一起到了车站。他们对我说："从这儿坐 375 路车，就可以到你们学校。"

上车以后，他们给我买票，我给他们钱，他们不要。那个男生说："算了吧，才一块钱。"车到了学校门口，我要下车的时候，想对他们说很多话，可是我只会说"谢谢、再见"。

补充生词 Supplementary words

1. 迷路	mí lù	to lose one's way
2. 公共汽车	gōnggòng qìchē	bus
3. 出租车	chūzūchē	taxi
4. 司机	sījī	driver
5. 算了吧	suàn le ba	to forget it

9 写汉字 Learn to write

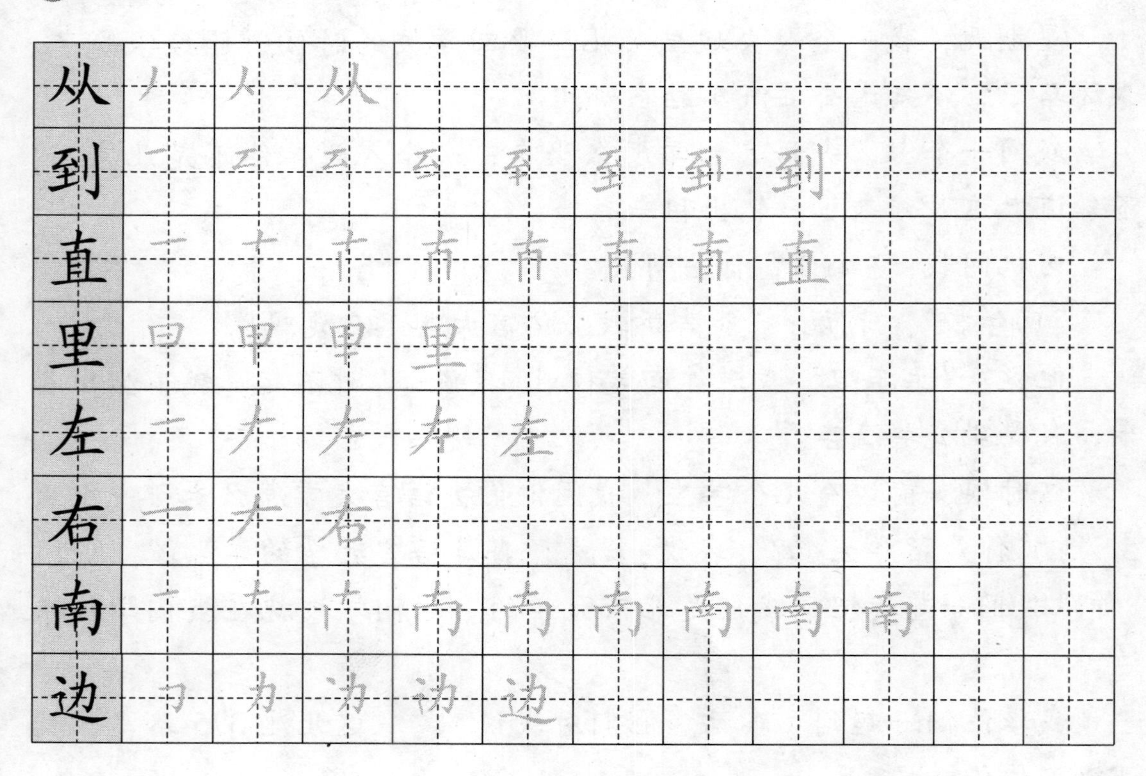

字	描红
间	间
足	足
球	球
远	远
红	红
灯	灯
往	往
路	路

Lesson 24

Dì èrshísì kè	Wǒ xiǎng xué tàijíquán
第二十四课	我想学太极拳

一 课文 Kèwén Text

(一) 我想学太极拳

玛丽：你 会 打 太极拳 吗？
Mǎlì： Nǐ huì dǎ tàijíquán ma?

罗兰：不 会。你 呢？
Luólán： Bú huì. Nǐ ne?

玛丽：我 也 不 会。你 想 不 想 学？
Mǎlì： Wǒ yě bú huì. Nǐ xiǎng bu xiǎng xué?

罗兰：想 学。
Luólán： Xiǎng xué.

玛丽：我 也 想 学。
Mǎlì： Wǒ yě xiǎng xué.

听说 体育 老师
Tīngshuō tǐyù lǎoshī

下 星期 教 太极拳，我们 去 报 名 吧。
xià xīngqī jiāo tàijíquán, wǒmen qù bào míng ba.

罗 兰： 好。
Luólán: Hǎo.

（二）您能不能再说一遍

玛丽： 老师，我们 想 学 太极拳，现在 可以 报
Mǎlì: Lǎoshī, wǒmen xiǎng xué tàijíquán, xiànzài kěyǐ bào

名 吗？
míng ma?

老师： 可以。
lǎoshī: Kěyǐ.

玛丽： 什么 时候 开始 上 课？
Mǎlì: Shénme shíhou kāishǐ shàng kè?

老师： 下 星期一。
lǎoshī: Xià xīngqīyī.

玛丽： 每 天 下午 都 有 课 吗？
Mǎlì: Měi tiān xiàwǔ dōu yǒu kè ma?

老师： 不，只 一 三 五 下午。
lǎoshī: Bù, zhǐ yī sān wǔ xiàwǔ.

玛丽： 对 不 起，您 能 不 能 再 说 一 遍？我
Mǎlì: Duì bu qǐ, nín néng bu néng zài shuō yí biàn? Wǒ

不 懂“一 三 五”是 什么 意思。
bù dǒng “yī sān wǔ” shì shéme yìsi.

老师： 就 是 星期一、星期三、星期五。
lǎoshī: Jiù shì xīngqīyī、xīngqīsān、xīngqīwǔ.

玛丽：从几点到几点上课？
Mǎlì: Cóng jǐ diǎn dào jǐ diǎn shàng kè?

老师：四点半到五点半。一次一个小时。
lǎoshī: Sì diǎn bàn dào wǔ diǎn bàn. Yí cì yí ge xiǎoshí.

（星期一下午……）

老师：玛丽！……玛丽怎么没来？
lǎoshī: Mǎlì! …… Mǎlì zěnme méi lái?

罗兰：老师，玛丽让我给她请个假。她今天有点儿不舒服，头疼，发烧，咳嗽，可能感冒了。她要去医院看病，不能来上课。
Luólán: Lǎoshī, Mǎlì ràng wǒ gěi tā qǐng ge jià. Tā jīntiān yǒudiǎnr bù shūfu, tóu téng, fā shāo, késou, kěnéng gǎnmào le. Tā yào qù yīyuàn kàn bìng, bù néng lái shàng kè.

二 生词 Shēngcí New Words

1. 会	（能愿、动）	huì	can; to be able to
2. 打	（动）	dǎ	to play; to practise
3. 太极拳	（名）	tàijíquán	*taiji*; shadow boxing
4. 听说	（动）	tīngshuō	to hear of
5. 下	（名）	xià	next (week)
6. 报名		bào míng	to register (for)
7. 开始	（动）	kāishǐ	to begin

8.	能	（能愿）	néng	can; be able to
9.	再	（副）	zài	again; once more
10.	遍	（量）	biàn	(a classifier for action) one time; once through
11.	懂	（动）	dǒng	to understand
12.	舒服	（形）	shūfu	comfortable
13.	意思	（名）	yìsi	meaning
14.	次	（量）	cì	(classifier) times
15.	小时	（名）	xiǎoshí	hour
16.	请假		qǐng jià	to ask for a leave
17.	头疼		tóu téng	head ache
	头	（名）	tóu	head
	疼	（动）	téng	to ache
18.	发烧		fā shāo	to have a temperature
19.	可能	（副）	kěnéng	perhaps; probably
20.	咳嗽	（动）	késou	to cough
21.	感冒	（动、名）	gǎnmào	to catch cold; flu
22.	了	（助）	le	(a modal partide at a sentence to indicate a change or new circumstances)
23.	看病		kàn bìng	to see a doctor
	病	（名、动）	bìng	illness; to be sick

三 注释 Zhùshì Notes

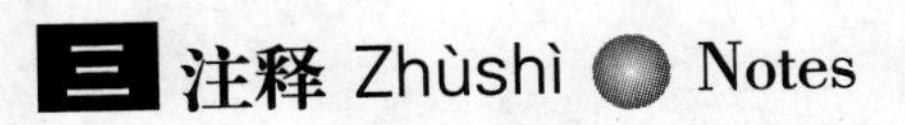

（一）您能不能再说一遍？ Could you say it again? /Could you repeat it?

副词“再”用在动词前面作状语，表示动作（状态）的重复或继续。而这种重复或继续是尚未实现的。例如：

The adverb “再” is used before the verb and as an adverbial, to denote the repetition or continuity of an action (state). This repetition and continuity is yet to be accomplished, e. g.

(1) 您再说一遍，好吗？

(2) 明天我再来。

(二) 从几点到几点上课？ From when to when is the class?

“从……到……”格式在句中作状语，表示时间的起点和终点。

The pattern “从…到…” functions as an adverbial in the sentence, which indicates the time when something begins and ends.

(1) 我们上午从八点到十二点上课。

(2) 从七月十号到八月三十一号放假。

四 语法 Yǔfǎ Grammar

(一) 能愿动词 Modal verbs

能愿动词表达能力、要求、愿望和可能等。如“会”、“要”、“想”、“能”、“可以”等。能愿动词放在动词前边。否定时要用“不”。带能愿动词的句子的正反问句形式，是并列能愿动词的肯定式和否定式，而不是动词。能愿动词不能重叠使用。词尾也不加“了”。

Modal verbs such as 会, 要, 想, 能 and 可以 signify abilities, demands, wishes and possibilities, etc. and are used before the main verbs. The negative form is “不 + Modal verb”. And the affirmative-negative question is formed by juxtaposing the positive and negative forms of the modal verb instead of the main verb in the sentence. Modal verbs cannot be reduplicated. “了” cannot be added to the end of the sentence.

以下分别介绍一下几个能愿动词的用法。

A brief introduction to the usage of the modal verbs:

1. 会 can, may

表示有能力做某事，否定时用“不会 + 动 + 名”。例如：

Denoting "capable of doing something". The negative form is "不会 + verb + noun".

(1) 她会说汉语。

(2) A：你会不会打太极拳？（不能说：＊你会打不打太极拳？）

B：我不会打太极拳。

2. 想 want to, would like to

表示愿望、打算和要求。例如：

Used to express wishes, desires and demands, e. g.

(1) 很多外国学生想来中国留学。

(2) 你想不想学太极拳？

不能说：＊你想学不学太极拳？

3. 要 want to, wish to, must

表示要求作某事。否定时用"不想"或"不愿意"；不说"不要"。

Used to express a desire for doing something. The negative form is "不想" or "不愿意", not "不要".

(1) A：今天下午你想不想去商店？

B：我要学太极拳，不想去商店。

不能说：＊我要学太极拳，不要去商店。

"不要"或"别"，表示劝阻。例如：

"要" also means "should" or "must". In this case, its negative form is "不

要” or “别”, which is used to dissuade someone from doing something.

（2） 请大家不要说话。（请大家别说话。）

4. 能/可以 can, may

表示有能力或有条件做某事。否定用“不能”。例如：

These two words mean “to have the ability to do something”. Their negative form is：不能.

（1） 她不能说汉语。

（2） 你可以用英语说。

表示情理上允许或环境许可。例如：

They also mean it is reasonable to do something or that circumstances permit one to do something, e. g.

（3） A：这儿可以抽烟吗？

B：对不起，这儿不能抽烟。

（4） A：下午你能不能跟我一起去？

B：对不起，我有事，不能跟你一起去。

不能说：＊对不起，我有事，不会跟你一起去。

（5） 玛丽感冒了，不能来上课。

不能说：＊玛丽感冒了，不会来上课

注：“会”，“想”，“要” 还是动词。

Notes：“会”，“想”，and “要” are still verbs.

“会” 作动词用时，表示熟习某种技能。

“会” denotes the familiarity with certain skills.

(5) 她会英语，不会法语。

(6) 她会电脑。

“想” 作动词用时表示“思考”、“考虑”、“想念” 的意思。例如：

“想” means “think”，“consider”，“think of”.

(7) 你们想想这个问题怎么回答。

(8) 我有点儿想家。

“要”，动词。表示“希望得到”。例如：

“要” as a verb denotes “would like to have”.

(9) A：你要什么？

B：我要一斤苹果。

(10) A：你要点儿什么？

B：我要一杯咖啡。

(二) 询问原因 Inquiring about the reasons

“怎么” 加上动词的否定形式询问原因。例如：

When used with the negative form of a verb，“怎么” inquires about the reasons，e. g.

(1) A：玛丽怎么没来？

B：老师，她今天有点儿不舒服，要去医院，不能来上课。

(2) A：昨天你怎么没去学太极拳？

B：昨天我有事。

(3) A：你怎么不喝啤酒？

B：我不喜欢喝啤酒。

五 语音 Yǔyīn Phonetics

读有能愿动词的正反问句时，肯定要重读，否定要轻读，句尾是下降语调。在答问时能愿动词要重读。

In an affirmative-negative question with the modal verbs, the affirmative is stressed, and the negative is unstressed. In reply the modal verbs are stressed.

A：你'想不想学？↑

B：'想学。↓

六 练习 Liànxí Exercises

1 语音 Phonetics

(1) 辨音辨调 Pronunciations and tones

shūfu	shūshu	kěyǐ	kěyí
kāishǐ	háishi	yìsi	yìshí
xiǎoshí	xiāoshī	fā shāo	huāzhāo

(2) 多音节连读 Multisyllablic liaison

yǔmáoqiú	bǎolíngqiú	pīngpāngqiú
yùndòngyuán	cáipànyuán	jiàoliànyuán

(3) 朗读 Read out the following phrases

想不想学	会不会说	要不要买	能不能来
不想学	不会说	不想买	不能来
会不会说汉语	会不会说英语	会不会打网球	会不会游泳
会说汉语	会说英语	会打网球	会游泳
不会打太极拳	不会开汽车	不会画画	不会唱歌
要去医院	要回国	要看电视	要复习语法
怎么没去	怎么没来	怎么不看	怎么不说

2 替换 Substitution exercises

补充生词 Supplementary words

1. 开车	kāi chē	to drive (a car, truck, etc.)
2. 游泳	yóu yǒng	to swim
3. 钓鱼	diào yú	to fish
4. 停车	tíng chē	to stop the car
5. 滑冰	huá bīng	to skate
6. 拍照	pāi zhào	to take pictures
7. 抽/吸烟	chōu/xī yān	to smoke a cigarette
8. 唱歌	chàng gē	to sing a song
9. 跳舞	tiào wǔ	to dance
10. 打篮球	dǎ lánqiú	to play basketball

(1) A：你会打太极拳吗？

B：不会。

A：你想不想学？

B：想学。

开车	滑冰
跳舞	唱中文歌
游泳	画画儿

(2) A：这儿可以抽烟吗？

B：不能。

滑冰	打篮球
拍照	停车
游泳	钓鱼

(3) A：今天他能不能来？

B：他要上课，不能来。

去医院	学太极拳
看朋友	去老师那儿
看病	去银行

(4) A：你要不要看 DVD？

B：我不想看 DVD，我想看电影。

喝咖啡	喝茶
爬山	游泳
学太极拳	学书法
吃包子	吃饺子
去图书馆	去公园
跳舞	唱歌

3 选词填空 Choose the right words to fill in the blanks

A. 能 要 想 可以 意思 会

(1) 我不________说法语，只会说一点儿英语。

(2) 玛丽________学太极拳。

(3) 他感冒了，今天下午不________来。

(4) 我很________学唱京剧。

(5) 我现在还不________看中文报。

(6) 老师，我妈妈今天来中国，我________请假去接她。

(7) 这个词是什么________？

(8) 我________用用你的车吗？

B. 会　　能　　要　　想

(1) 今天下午你________来吗？

(2) 老师，玛丽不舒服，今天她不________来上课。

(3) 我不________学太极拳。

(4) 他不想学法语，________学英语。

(5) 你一分钟________写多少汉字？

(6) 他喝酒了，不________开车，你开吧。

(7) 这儿不________停车。

(8) 今天晚上我________去看电影。

4 完成会话　Complete the following dialogues

(1) A：你会电脑吗？

B：________。你呢？

A：________。你想不想学？

B：________。

A：我们一起学，好吗？

B：________。

(2) A：____________________？

B：不能。

A：____________________？

B：前边儿有停车场，那儿可以停车。

(3) A：____________________？

B：我不会做中国菜。________？

A：我也不会。

(4) A：____________________？

B：今天我不想去，我们明天去吧。

5 改错句 Correct the sentences

(1) 你想买不买词典?

____

(2) 我去图书馆要看书。

____

(3) 晚上她能去跟我一起。

____

(4) 这件大衣太贵了，我不可以买。

____

(5) 她头疼，发烧，不会来上课。

____

(6) 你能去不去旅行?

____

6 成段表达 Express yourself

(1) 我不会打太极拳，很想学，玛丽也不会，她也想学。听说体育老师下星期教太极拳，我们就去报名。

老师说从下星期一开始上课。我问老师是不是每天下午都上课。他说不是每天下午，只一三五下午。我不懂“一三五”是什么意思。

老师说，一三五就是星期一、星期三、星期五。

今天下午我们有太极拳课，玛丽有点儿不舒服，发烧，头疼，可能感冒了，她要去医院看病，让我给她请假。上课的时候，老师问玛丽怎么没来，我告诉老师，她病了，今天不能来上课。

(2) 一天，我问麦克会不会开车，他说当然会。我说，我朋友有一辆车，我可以借来，星期天我们开他的车去玩儿怎么样。麦克说，不行，我在中国不能开车。我问他：“为什么？”他说，没有开车的护照。我说，那不叫护照，叫驾照。他说：“对，是驾照。我常常错了。”我说：“要说‘常常错’；不能说‘常常错了’，‘常常’后边不能用‘了’。”他说：“是吗？我还没学这个语法呢。”

补充生词 Supplementary words

1. 护照	hùzhào	passport
2. 驾照	jiàzhào	driving license

7 写汉字 Learn to write

会	𠆢	亽	亼	会	会				
次	丶	冫	冫	次	次				
极	木	朾	极	极					
能	厶	台	育	能	能	能			
舒	𠆢	亼	今	全	舍	舍	舒	舒	舒
育	丶	亠	𠫓	𠫓	育				
报	一	扌	扌	扌	护	报	报		
懂	忄	忄	忄	忄	忄	恄	愭	懂	懂	懂

请						请				
始				始						
疼									疼	
病									病	
意									意	
思								思		

Lesson 25

Dì èrshíwǔ kè 第二十五课	Tā xué de hěn hǎo 她学得很好

一 课文 Kèwén Text

（一）她学得很好

老师：罗兰，电视台 想 请 留学生 表演 一个
lǎoshī: Luólán, diànshìtái xiǎng qǐng liúxuéshēng biǎoyǎn yí ge

汉语 节目，你 愿意 去 吗？
Hànyǔ jiémù, nǐ yuànyì qù ma?

罗兰：老师，我 不 想 去。
Luólán: Lǎoshī, wǒ bù xiǎng qù.

老师：为 什么？
lǎoshī: Wèi shénme?

罗兰：我 汉语 说 得 不 好，也 不 会 表演。
Luólán: Wǒ Hànyǔ shuō de bù hǎo, yě bú huì biǎoyǎn.

老师：你 学 得 不错，有 很 大 进步，汉语 水平
lǎoshī: Nǐ xué de búcuò, yǒu hěn dà jìnbù, Hànyǔ shuǐpíng

提高 得 很 快。
tígāo de hěn kuài.

罗 兰：哪里，我 发音 发 得 不 准，说 得 也 不
Luólán: Nǎli, wǒ fā yīn fā de bù zhǔn, shuō de yě bù

流利。让 玛丽 去 吧。她 汉语 学 得 很 好，
liúlì. Ràng Mǎlì qù ba. Tā Hànyǔ xué de hěn hǎo,

说 得 很 流利。玛丽 还 会 唱 京剧。
shuō de hěn liúlì. Mǎlǐ hái huì chàng jīngjù.

老 师：是 吗？她 京剧 唱 得 怎么样？
lǎoshī: Shì ma? Tā jīngjù chàng de zěnmeyàng?

罗 兰：王 老 师 说 她 唱 得 不错。
Luólán: Wáng lǎoshī shuō tā chàng de búcuò.

老 师：她 怎么 学 得 这么 好？
lǎoshī: Tā zěnme xué de zhème hǎo?

罗 兰：她 非常 努力，也 很 认真。
Luólán: Tā fēicháng nǔlì, yě hěn rènzhēn.

（二）她每天都起得很早

（学校的操场上，玛丽在打太极拳。）

麦 克：老师，您 看 她 太极拳 打 得 怎么样？
Màikè: Lǎoshī, nín kàn tā tàijíquán dǎ de zěnmeyàng?

老 师：打 得 不错。
lǎoshī: Dǎ de búcuò.

麦 克：为 学 太极拳，她 每 天 都 起 得 很 早。
Màikè: Wèi xué tàijíquán, tā měi tiān dōu qǐ de hěn zǎo.

老 师：麦克，你 喜欢 什么 运动？
lǎoshī: Màikè, nǐ xǐhuan shénme yùndòng?

麦克：我喜欢跑步、打篮球。
Màikè: Wǒ xǐhuan pǎobù、dǎ lánqiú.

老师：刚才我看你跑得很快。你篮球打得怎么样？
lǎoshī: Gāngcái wǒ kàn nǐ pǎo de hěn kuài. Nǐ lánqiú dǎ de zěnmeyàng?

麦克：打得还可以。老师，您每天都来锻炼吗？
Màikè: Dǎ de hái kěyǐ. Lǎoshī, nín měi tiān dōu lái duànliàn ma?

老师：对，我每天都坚持锻炼。你呢？
lǎoshī: Duì, wǒ měi tiān dōu jiānchí duànliàn. Nǐ ne?

麦克：我不常锻炼，因为我晚上常常睡得很晚，早上起得也很晚。
Màikè: Wǒ bù cháng duànliàn, yīnwèi wǒ wǎnshang chángchang shuì de hěn wǎn, zǎoshang qǐ de yě hěn wǎn.

二 生词 Shēngcí New Words

1. 电视台 （名） diànshìtái television station
   台 （名） tái station
2. 表演 （动） biǎoyǎn to act; to perform
3. 节目 （名） jiémù program
4. 愿意 （能愿、动） yuànyì to be willing; to wish; to like
5. 为什么 wèi shénme why
6. 得 （助） de (used after a verb or an adjective

			to introduce a complement of result or degree)
7. 不错	(形)	búcuò	not bad; pretty good
错	(形)	cuò	wrong
8. 进步	(动)	jìnbù	to make a progress
9. 水平	(名)	shuǐpíng	level
10. 提高	(动)	tígāo	to inprove; to raise
11. 快	(形)	kuài	fast; quick; quickly
12. 哪里	(代)	nǎli	I am (or feel) flattered. (used when responding politely to a compliment)
13. 准	(形)	zhǔn	accurate
14. 流利	(形)	liúlì	fluent
15. 努力	(形)	nǔlì	hard working
16. 认真	(形)	rènzhēn	conscientious; earnest; serious
17. 看	(动)	kàn	consider; judge
18. 为	(介)	wèi	for; for the sake of
19. 这么	(代)	zhème	so; like this
那么	(代)	nàme	that; like that
20. 早	(形)	zǎo	early
21. 运动	(动)	yùndòng	to do exercises
22. 跑步		pǎo bù	to run; to jog
跑	(动)	pǎo	to run
23. 篮球	(名)	lánqiú	basketball
球	(名)	qiú	ball
24. 刚才	(名)	gāngcái	just now
25. 可以	(形)	kěyǐ	pretty good; not bad; passable

26. 坚持	（动）	jiānchí	to persist in; to insist on
27. 因为	（连）	yīnwèi	because
28. 晚	（形）	wǎn	late

三 注释 Zhùshì Notes

（一）哪里 I am flattered.

回答别人称赞时说的客套话。也说“哪里，哪里”。

A polite expression in response to a compliment.

（二）你看她太极拳打得怎么样？

It means：What do you think of her *taiji*?

（三）打得还可以

“还”在这里表示程度上勉强过得去。一般用在形容词前，有往好的方面说的意味。

“还”indicates the acceptability in degree. It is usually used before an adjective to emphasize the positive side of something，e. g.

（1）他汉语说得还可以。

（2）这个房子还不错。

（3）爸爸妈妈身体还好。

四 语法 Yǔfǎ Grammar

状态补语（1） The complement of state（1）

状态补语是指动词后边用“得”连接的补语。由形容词和形容词词组充当，一般前面要加“很”。状态补语的主要功能是对结果、程度、状态等进行描写、判断和评价。状态补语所描述和评价的动作行为或状态是经常性的、已经发生的或正在进行的。

The complement of state is a complement connected by“得”following the verb. It is usually an adjective or adjective phrase. A“很”（very）is often used before this adjective or adjectival phrase. The main function of the complement of state is to describe, appraise or evaluate the result, degree and state, etc. The acts or states this complement describes or appraises are usually day-to-day in character, or have already existed, or are in progress.

肯定式:动词 + 得 + (很) + 形容词

The affirmative: Verb + 得 + (很) + Adjective

(1) A：你每天起得早不早？

B：我每天起得很早。

(2) A：她太极拳打得怎么样？

B：打得很不错。(她太极拳打得很不错。)

(3) A：她说汉语说得好吗？

B：说得很好。(她说汉语说得很好。)

(4) 他喝啤酒喝得很多。

否定式：动词 + 得 + 不 + 形容词

The negative: Verb + 得 + 不 + Adjective

(5) A：你星期天起得早吗？

B：不早。(我星期天起得不早。)

(6) A：你汉语说得怎么样？

B：我汉语说得不好。

(7) A：他汉字写得好不好？

B：不好。（他汉字写得不好。）

正反疑问句：动词 + 得 + 形容词 + 不 + 形容词
The affirmative-negative questions：Verb + 得 + Adjective + 不 + Adjective

（8）你今天起得早不早？

（9）她汉语说得好不好？

注意：动词有宾语时，带状态补语句子的结构形式是：

Note：When the verb has an object，the structure for the sentence with a complement of state is：

动词	+	宾语	+	动词	+	得	+	（很）	+	形容词
Verb	+	Object	+	Verb	+	得	+	（很）	+	Adjective

（10）他打太极拳打得很好。

（11）她说汉语说得很好。

在实际交际中，句中第一个动词常常不说，变成主谓谓语句。例如：

In everyday communication，the first verb is not uttered. Thus the sentence changes into one with a S-P predicate，e. g.

（1）他打太极拳打得很好。 → 他太极拳打得很好。

（2）她说汉语说得很好。 → 她汉语说得很流利。

五 语音 Yǔyīn Phonetics

带状态补语的句子，状态补语要重读。例如：

In a sentence with a complement of state，the adjective is stressed.

老师说得很'清楚。

她教得很'好。

麦克跑步跑得很'快。

六 练习 Liàn xí Exercises

1 语音 Phonetics

（1）辨音辨调 Pronunciations and tones

liúlì	nǔlì	biǎoyǎn	biǎoyáng
jiémù	juéwù	jìnbù	xìngfú
nǎli	nàli	pǎo bù	bàofù

（2）多音节连读 Multisyllablic liaison

shì shàng wú nán shì （世上无难事）

zhǐ pà yǒu xīn rén （只怕有心人）

yù qióng qiān lǐ mù （欲穷千里目）

gèng shàng yì céng lóu （更上一层楼）

（3）朗读 Read out the following phrases

为学习汉语	为练习书法	为练习打太极拳	
坚持学习	坚持锻炼	坚持练习	
这么便宜	这么容易	这么难	这么努力
怎么这么便宜	怎么这么难	怎么这么容易	怎么这么努力
学得怎么样	说得怎么样	写得怎么样	唱得怎么样
读得很快	打得很好	做得很对	表演得很好
说得很流利	唱得很好	写得很快	学得很认真
说得对不对	唱得好不好	起得早不早	睡得晚不晚
说得不对	唱得不好	起得不早	睡得不晚

2 替换 Substitutions

（1）A：她学得好吗？

B：她学得很好。

起得早	睡得晚
喝得多	打得好
跑得快	说得流利

(2) A：他（说）汉语说得好不好？
　　B：说得很好。（他汉语说得很好。）

发音发得准不准
打篮球打得好不好
做练习做得认真不认真
说汉语说得流利不流利
写汉字写得快不快
唱歌唱得好不好

(3) A：你 汉字 写得怎么样？
　　B：写得不太好。（我汉字写得不太好。）

歌	唱	好
汉语	说	流利
音	发	准
声调	说	对
太极拳	打	好
课文	读	流利

(4) 她怎么学得这么好？

说得这么流利	来得这么早
打得这么好	跑得这么快
写得这么好	到得这么晚

3 选词填空 Choose the right words to fill in the blanks

怎么　说　努力　快　打　为　表演　都

(1) 她汉语________得很流利。

(2) 她________学得这么好？

(3) 她非常________，每天都起得很早，睡得很晚。

(4) 你最近进步很________。

(5) 她太极拳________得怎么样？

(6) 他们班汉语节目________得非常好。

(7) 我每天________坚持锻炼。

(8) ________学习汉语，她要去中国。

4 组句 Construct sentences

(1) 他　都　早上　得　起　很　每天　早

____

(2) 他　跑步　非常　跑　快　得

____

(3) 中文　玛丽　歌　不错　得　唱　很

____

(4) 得　汉字　写　她　很　好

____

(5) 我　不太　太极拳　好　得　打

____

(6) 她　发　音　准　得　很

____

5 在空格里填入适当的形容词

Complete the sentences with appropriate adjectives

例：昨天我们在公园玩得很高兴。

(1) 他汉语说得很________。
(2) 你太极拳打得不________。
(3) 这个音你发得不________。
(4) 他汉字写得很________。
(5) 你今天的练习做得很________。
(6) 麦克跑步跑得很________。
(7) 她每天都来得很________。
(8) 这个句子他翻译得不________。

6 看图说话　Describe the pictures

(1) 起　床　　　早　晚

______________　______________

（2）来教室　　　早　晚

（3）喝啤酒　　　多　少

（4）吃饺子　　　多　少

（5）写汉字　　好　不好

7 完成会话 Complete the following dialogues

例：A：你们学得快不快？

B：我们学得不快。

A：________________?

B：她汉语说得不太好。

A：________________?

B：她跑得不快。

A：________________?

B：他这个句子翻译得不对。

A：________________?

B：他昨天酒喝得不太多。

A：________________?

B：我今天起得不早。

A：________________?

B：我英语说得不流利。

8 改错句 Correct the sentences

（1）我说汉语不很流利。

____

（2）麦克跑步得非常快。

____

（3）她每天吃饭得很少。

____

（4）田芳学习很努力，她英语说不错。

____

（5）她每天起床得很早。

____

（6）老师说话得比较快。

____

9 成段表达 Express yourself

（1）今天办公室的李老师来找我，他说，电视台想请留学生去表演汉语节目，问我愿意不愿意去。我说，我不行。我汉语说得不太好，很多音发得不准，也不会表演节目。我对老师说，玛丽行，玛丽学得很好，她汉语说得很流利，还会唱京剧，听王老师说，她京剧唱得很不错。你让玛丽去吧，老师问我玛丽愿意去吗？我说，你跟她谈谈，我想她可能愿意。

（2）今天上课的时候，老师问大家，毕业后打算做什么工作。同学们都说了自己的打算。爱德华文章写得不错，还喜欢摄影，照相照得很好，他想当一个记者。李美淑（Měishū）觉得在学校工作很有意思，想当个老师。玛丽想当律师。麦克汉语学得很好，他打算当翻译。山本想到父亲的公司工作。罗兰对秘书工作很感兴趣，她希望能去大使馆当秘书。

补充生词 Supplementary words

1. 行	xíng	capable；petent
2. 文章	wénzhāng	article
3. 摄影	shèyǐng	photograohy；to take a picture

10 写汉字 Learn to write

为	丶 丷 为 为
步	丨 ⺊ 止 止 步 步 步
平	一 丆 丷 亚 平
坚	丨 刂 収 坚 坚 坚
持	扌 扌 扌 持 持 持 持
错	丿 𠂉 𠂉 钅 钅 钅 钅 钳 错 错
认	丶 讠 认 认
真	十 冇 冇 冇 有 直 直 真
运	一 二 云 云 云 运 运
动	一 二 云 云 动 动
跑	口 口 口 早 足 足 跑 跑 跑 跑
得	丿 彳 彳 彳 得 得 得 得
才	一 十 才
目	丨 冂 月 月 目
愿	一 厂 厂 原 原 原 原 原 愿 愿 愿
困	丨 冂 冃 円 闲 困

Lesson 26

Dì èrshíliù kè
第二十六课

Tián Fāng qù nǎr le
田芳去哪儿了

一 课文 Kèwén Text

(一) 田芳去哪儿了

（张东打电话找田芳）

张 东：喂！是田芳吗？
Zhāng Dōng: Wèi! Shì Tián Fāng ma?

田芳妈：田芳不在。是张东吧。
Tián Fāng mā: Tián Fāng bú zài. Shì Zhāng Dōng ba.

张 东：阿姨，您好！田芳去哪儿了？
Zhāng Dōng: Āyí, nín hǎo! Tián Fāng qù nǎr le?

田芳妈：她四点多就去同学家了。她的一个中学同学要出国，她去看看她。
Tián Fāng mā: Tā sì diǎn duō jiù qù tóngxué jiā le. Tā de yí ge zhōngxué tóngxué yào chū guó, tā qù kànkan tā.

张 东：她什么时候能回来？
Zhāng Dōng: Tā shénme shíhou néng huílai?

田芳妈：她没说，你打她的手机吧。
Tián Fāng mā: Tā méi shuō, nǐ dǎ tā de shǒujī ba.

张东：我打了。可是她关机了。
Zhāng Dōng: Wǒ dǎ le. Kěshì tā guān jī le.

田芳妈：是吗，你过一会儿再打吧。
Tián Fāng mā: Shì ma, nǐ guò yíhuìr zài dǎ ba.

（张东又来电话了）

张东：阿姨，田芳回来了没有？
Zhāng Dōng: Āyí, Tián Fāng huílai le méiyǒu?

田芳妈：还没有呢。
Tián Fāng mā: Hái méiyǒu ne.

（二）他又来电话了

田芳：妈，我回来了。
Tián Fāng: Mā, wǒ huílai le.

妈妈：张东给你打电话了没有？
māma: Zhāng Dōng gěi nǐ dǎ diànhuà le méiyǒu?

田芳：没有啊。
Tián Fāng: Méiyǒu ā.

妈妈：他来电话找你，说打你的手机，你关机了。
māma: Tā lái diànhuà zhǎo nǐ, shuō dǎ nǐ de shǒujī, nǐ guān jī le.

田芳：啊！对了，我忘开机了。
Tián Fāng: À! Duì le, wǒ wàng kāi jī le.

妈 妈：　快！电话 又 响 了，你 去 接 吧。
māma:　Kuài! Diànhuà yòu xiǎng le, nǐ qù jiē ba.

（田芳接电话）

田　芳：　下午 你 给 我 打 电话 了 吧？
Tián Fāng:　Xiàwǔ nǐ gěi wǒ dǎ diànhuà le ba?

张　东：　打 了，你 怎么 关 机 了？
Zhāng Dōng:　Dǎ le, nǐ zěnme guān jī le?

田　芳：　对不起。我 忘 开 机 了。下午 你 做 什么 了？
Tián Fāng:　Duì bù qǐ. Wǒ wàng kāi jī le. Xiàwǔ nǐ zuò shénme le?

张　东：　我 去 踢 足球 了。今天 我们 跟 留学生 代表队 比赛 了。
Zhāng Dōng:　Wǒ qù tī zúqiú le. Jīntiān wǒmen gēn liúxuéshēng dàibiǎoduì bǐsài le.

田　芳：　你们 队 又 输 了 吧？
Tián Fāng:　Nǐmen duì yòu shū le ba?

张　东：　没有。这 次 我们 赢 了。
Zhāng Dōng:　Méiyǒu. Zhè cì wǒmen yíng le.

田　芳：　几 比 几？
Tián Fāng:　Jǐ bǐ jǐ?

张　东：　二 比 一。
Zhāng Dōng:　Èr bǐ yī.

田　芳：　祝贺 你们！哎，你 有 什么 事 吗？
Tián Fāng:　Zhùhè nǐmen! Āi, nǐ yǒu shénme shì ma?

张　东：我想问问你，你不是要上托福班吗？报名了没有？
Zhāng Dōng: Wǒ xiǎng wènwen nǐ, nǐ bú shì yào shàng Tuōfú bān ma? Bào míng le méiyǒu?

田　芳：已经报了。你是不是也想考托福？
Tián Fāng: Yǐjīng bào le. Nǐ shì bu shì yě xiǎng kǎo Tuōfú?

张　东：是。我想明天去报名，你陪我一起去，好吗？
Zhāng Dōng: Shì. Wǒ xiǎng míngtiān qù bào míng, nǐ péi wǒ yìqǐ qù, hǎo ma?

田　芳：好的。
Tián Fāng: Hǎo de.

二 生词 Shēngcí New Words

1.	喂	（叹）	wèi	hello
2.	阿姨	（名）	āyí	aunt
3.	中学	（名）	zhōngxué	middle school
4.	出国		chū guó	to go abroad
	出	（动）	chū	to proceed from inside to outside
5.	打（电话）	（动）	dǎ (diànhuà)	to make (a phone a call)
6.	关机		guān jī	to turn off one's mobile phone
	关	（动）	guān	to turn off; to switch off
7.	对了		duì le	oh yes

8. 忘	(动)	wàng	to forget
9. 开机		kāi jī	to turn on one's mobile phone
开	(动)	kāi	to turn on; to open; to drive
10. 又	(副)	yòu	again
11. 响	(动)	xiǎng	to make a sound
12. 接	(动)	jiē	to get; to receive
13. 踢	(动)	tī	to kick; to play (football)
14. 比赛	(动、名)	bǐsài	to match; to contest; game
15. 队	(名)	duì	team
16. 输	(动)	shū	to lose (a game)
17. 赢	(动)	yíng	to win
18. 比	(动)	bǐ	(of a score) to
19. 祝贺	(动)	zhùhè	to congratulate
20. 哎	(叹)	āi	(interjection)
21. 上	(动)	shàng	to attend (a class, program, etc.)
22. 托福	(名)	Tuōfú	TOEFL
22. 已经	(副)	yǐjīng	already
24. 考	(动)	kǎo	to take (a test)
25. 陪	(动)	péi	to accompany

三 注释 Zhùshì Notes

(一) 你给我打电话了吧? Did you call me?

语气助词“吧”在这里表示疑问的语气。

The modal particle “吧” is used here to express an inquisitive tone.

（二）你不是要上托福班吗？ Didn't you want to attend a TOEFL class?

"不是……吗？"是个反问句。强调肯定。不要求回答。

"不是……吗" is a rhetorical question. This sentence patten emphasizes an affirmative tone, therefore no reply is required.

（三）是不是 Is it not/aren't you/don't you, etc.

在用"是不是"的正反问句里，"是不是"可以用在谓语前，也可用在句首或句尾。例如：

In an affirmative-negative question, "是不是" can be used before the predicate. It may also be used at the head or the tail of the sentence, e. g.

（1） A：你是不是想家了？

B：是。我常常想家。

（2） A：你们输了，是不是？

B：是。

四 语法 Yǔfǎ Grammar

（一）语气助词"了"（1） The modal particle "了"（1）

语气助词"了"用在句尾，表示肯定的语气。有成句的作用。说明事情的发生、动作的完成、情况的出现和状态的变化等。例如：

The modal particle "了" is used at the tail of a sentence, indicating an affirmative tone. It has the function of completing a sentence and is often used to indicate the happening of something, the completion of an act, the emergence of a circumstance and the change of a situation, e. g.

1. 安娜跟外贸代表团去上海了。
2. 田芳的手机关了。
3. 他已经睡了。别叫他了。
4. 她今年20岁了。

5. 饭好了。我们吃饭吧。

试比较下列两组句子：

Compare the following two groups of sentences:

事情发生前		事情发生后
A：你去哪儿？	⟶	A：你去哪儿了？
B：我去商店。	⟶	B：我去商店了。
A：你买什么？	⟶	A：你买什么了？
B：我买衣服。	⟶	B：我买衣服了。

正反疑问句形式是：

The structure for an affirmative-negative question is:

……了 + 没有？

(1) A：你去医院了没有？

B：去了。(我去医院了。)

(2) A：你买今天的晚报了没有？

B：没买。(我没买今天的晚报。)

"还没（有）……呢" 表示事件现在还没有开始或完成，含有即将开始或完成的意思。例如：

"还没（有）…呢" suggests an act has not begun or completed but is about to begin or be completed, e. g.

(3) A：她回家了吗？

B：她还没有回家呢。

(4) A：他走了没有？

B：他还没有走呢。

动词前用"没（有）"表示否定意义时，句末不用"了"。例如：

When "没（有）" is used before a verb to express negation, "了" is not used at the end of the sentence, e. g.

(5) 我昨天没去商店。

不说：* 我昨天没去商店了。

(6) 她觉得不舒服，今天没有上课。

不说：* 她觉得不舒服，今天没有上课了。

表达经常性的动作时，句尾不能用"了"。例如：

When a sentence expresses a regular act, "了" is not used, e. g.

(7) 每天早上她都去打太极拳。

不说：* 每天早上她都去打太极拳了。

(8) 她常来我家玩儿。

不说：* 她常来我家玩儿了。

(二) "再"和"又"　"再" and "又"

副词"再"和"又"都放在动词前边作状语表示动作或情况的重复。不同的是："再"用于表示尚未重复的动作或情况；"又"一般用来表示已经重复的动作或情况。例如：

The adverbs "再" and "又" are both used before verbs as adverbials, to indicate the repetition of an act or a state of affairs. They differ in that "再" indicates an act is yet to be repeated while "又" normally refers to an act that has already been repeated, e. g.

（1）今天我去看她了，我想明天再去。

（2）他上午来了，下午没有再来。

（3）他昨天来看我了，今天又来了。

（4）他昨天没来上课，今天又没来。

五 练习 Liànxí Exercises

1 语音 Phonetics

（1）辨音辨调 Pronunciations and tones

cāochǎng	cǎochǎng	bǐsài	bìsè
zhùhè	chùsuǒ	yǐjīng	yǔjìng
tuōfú	tuōfù	zúqiú	chūqiū

（2）多音节连读 Multisyllabic liaison

dǎ lánqiú	dǎ páiqiú	dǎ wǎngqiú
dǎ yǔmáoqiú	dǎ diànhuà	dǎ zhāohu

（3）朗读 Read out the following phrases

快来	快跑	快走	快看
再来	再买	再看	再练
又来了	又买了	又看了	又练了
打电话了	接电话了	去同学家了	踢足球了
回家了没有	去商店了没有	看比赛了没有	买光盘了没有
还没回来呢	还没去呢	还没看呢	还没买呢

2 替换 Substitution exercises

（1）A：昨天你看球赛了吗？

B：没有。

A：你去哪儿了？

B：我去同学家了。

图书馆	买毛衣
看朋友	书店
商店	老师那儿

（2）A：你<u>预习课文</u>了没有？

B：还没有呢。

预习生词	看电视
上网	看青年报
吃晚饭	做练习

（3）A：你<u>报名</u>了没有？

B：已经<u>报</u>了。

买	青年报	买	光盘
看	电影	听	课文录音
预习	生词	复习	语法

（4）A：下午你做什么了？

B：我<u>去踢足球</u>了。

去超市	去买羽绒服
听课文录音	学太极拳
看足球比赛	上网

3 选词填空 Choose the right words to fill in blanks

已经	考	接	踢	比赛	操场	又	出国

（1）我下午去操场______足球了。

(2) 妈妈不想让我______留学。

(3) 你昨天是不是______去他家了?

(4) 他正在______电话呢。

(5) 玛丽在______打太极拳呢。

(6) 我们又跟外贸大学______篮球了。

(7) 我姐姐______大学毕业了。

(8) 很多留学生都想______HSK。

4 用"还没(有)……呢"回答问题

Answer questions with **"还没(有)…呢"**

(1) A: 田芳回家了没有?

B: ______________________________。

(2) A: 你吃晚饭了没有?

B: ______________________________。

(3) A: 你做作业了没有?

B: ______________________________。

(4) A: 你看这个电影了吗?

B: ______________________________。

(5) A: 你给妈妈打电话了吗?

B: ______________________________, 我现在就去打。

(6) A: 你买今天的晚报了没有?

B: ______________________________, 我现在就去买。

5 填空 Choose the right words to fill in the blanks

A. 不　　没有

(1) 我明天______去超市, 我要去书店。

(2) 昨天我______去商店，我去书店了。

(3) A：你觉得昨天晚上的电影怎么样？

B：我______看，______知道。

(4) 我______学太极拳，______会打。

(5) 昨天你去______去大使馆？

(6) 明天你去______去看她？

(7) 玛丽，你想______想家？

(8) A：你常______常给妈妈打电话？

B：我______常给她打电话。

B. 再　　　又

(1) 她昨天没有上课，今天______没有上课。

(2) 这本词典很好，我已经买了一本，想______给我弟弟买一本。

(3) 我昨天已经去了，今天不想______去了。

(4) 张东刚才给你来电话了，你不在，他说过一会儿______来。

(5) 生词我已经预习了，还要______复习复习课文。

(6) 我______用用你的车好吗？

(7) 我______买了一张 DVD。

(8) 我觉得一年时间太短了，我想______学一年。

6 完成会话 Complete the dialogues

(1) A：昨天你去哪儿了？

B：______________________________。

A：你买什么了？

B：______________________________。

A：你买词典了没有？

B：______________________________。

(2) A：昨天晚上你做什么了？

B：________________________________。

A：你看足球比赛了没有？

B：________________________________。

(3) A：张东下午去哪儿了？

B：________________________________。

A：你去了没有？

B：________________________________。

(4) A：昨天你买苹果了没有？

B：________________________________。

A：买橘子了没有？

B：________________________________。

(5) A：________________________________？

B：我没去朋友家。

(6) A：________________________________？

B：今天的作业还没做呢。

7 改错句 Correct the sentences

(1) 昨天我骑了自行车去书店。

____

(2) 我们八点已经开始了上课。

____

(3) 我今年九月来了中国学汉语。

____

(4) 我在大学时常常参加足球比赛了。

____

(5) 昨天下午我做练习了，预习生词了和复习语法了。

____

(6) 我姐姐已经毕业大学了。

____

8 选择正确答案 Choose the correct answers

(1) 你去哪儿?

A：我去图书馆了。　　B：我去图书馆。

(2) 你买词典了没有?

A：我不买词典。　　B：我没买词典。

(3) 今天晚上谁来?

A：张东来。　　B：张东来了。

(4) 上午你上没上课?

A：不上课。　　B：没上课。

(5) 晚上你看不看足球赛?

A：看了。　　B：看。

(6) 你去没去医院?

A：去了。　　B：去。

9 读后说 Read and express

今天我去江苹（Jiāng Píng）家了。我和江苹是中学同学，她是我的好朋友，也是我们全班同学的朋友。她学习非常努力，是我们班学习最好的学生。她会学习，也会玩儿，还常常帮助别人，老师和同学都很喜欢她。她这次参加了外国一个大学的考试。这个考试非常难，但是她考得很好，得了满分。听说只有三个得满分的。这个大学给了她最高的奖学金。同学们都向她表示祝贺，为她感到高兴。

下星期她就要出国留学了，我们班的同学都去看她，给她送行。

江苹的家在东城，离我家比较远。我下午四点多就出发了，五点半才到。我到的时候，同学们都已经到了。

江苹热情地欢迎我们。同学们好久不见了，见面以后高兴得又说又笑，玩得很愉快。我们预祝江苹成功。祝她一路平安。我说，一定要常来信啊。江苹说，一定。跟她说“再见”的时候，她哭了，我也哭了。

回家的路上，我想，我们常常说“再见”，但是，有时候“再见”是很难的。我和江苹什么时候能“再见”呢？

刚进家，妈妈就告诉我，张东给我来电话了。

补充生词　Supplementary words

1. 考试	kǎoshì	exam; test
2. 得	dé	to get
3. 满分	mǎnfēn	full marks
4. 最	zuì	most
5. 奖学金	jiǎngxuéjīn	scholarship
6. 送行	sòng xíng	to see sb. off; to give a send-off party
7. 见面	jiàn miàn	to meet; to see
8. 预祝	yùzhù	to wish
9. 成功	chénggōng	to succeed; success
10. 一路平安	lí lù píng'ān	to have a pleasant/safe trip
11. 哭	kū	to cry; to weep

10 写汉字 Learn to write

安	丶	丶	宀	安							
常	丨	⺌	⺌	⺌	龸	尚	尚	常	常		
跟	口	口	口	口	𧾷	𧾷	𧾷	𧾷	跟	跟	跟
走	一	十	土	土	土	走	走				
超	一	十	土	土	土	走	走	起	起	超	
市	丶	亠	亠	市	市						
练	纟	纟	纟	纟	练	练	练				
做	亻	亻	什	估	估	估	做	做			
借	亻	亻	什	什	借	借					

Lesson 27

Dì èrshíqī kè	Mǎlì kū le
第二十七课	玛丽哭了

一 课文 Kèwén Text

(一) 你怎么了

大夫：你怎么了？
dàifu: Nǐ zěnme le?

病人：肚子疼得厉害，在家吃了两片药，还不行。
bìngrén: Dùzi téng de lìhai, zài jiā chī le liǎng piàn yào, hái bù xíng.

大夫：拉肚子了吗？
dàifu: Lā dùzi le ma?

病人：拉了。
bìngrén: Lā le.

大夫：昨天吃什么了？
dàifu: Zuótiān chī shénme le?

病人：就吃了一些鱼和牛肉。
bìngrén: Jiù chī le yìxiē yú hé niúròu.

大夫：　喝 什么 了？
dàifu：　Hē shénme le?

病　人：　喝 了 一 瓶 啤酒。
bìngrén：　Hē le yì píng píjiǔ.

大夫：　发 烧 吗？
dàifu：　Fā shāo ma?

病　人：　不 发 烧。
bìngrén：　Bù fā shāo.

大夫：　你 先 去 化验 一下 大便，然后 我 再 给 你 检查 检查。
dàifu：　Nǐ xiān qù huàyàn yíxià dàbiàn, ránhòu wǒ zài gěi nǐ jiǎnchá jiǎnchá.

病　人：　好 吧。
bìngrén：　Hǎo ba.

（化验以后）

大夫：　化验 结果 出来 了 吗？
dàifu：　Huàyàn jiéguǒ chūlai le ma?

病　人：　出来 了。
bìngrén：　Chūlai le.

（大夫看化验结果）

病　人：　大夫，我 是 不 是 得 了 肠炎？
bìngrén：　Dàifū, wǒ shì bu shì dé le chángyán?

大夫：　我 看 了 化验 结果。不 是 肠炎，只 是
dàifu：　Wǒ kàn le huàyàn jiéguǒ. Bú shì chángyán, zhǐ shì

消化 不 好。先 给 你 开 一些 药。再 给 你
xiāohuà bù hǎo. Xiān gěi nǐ kāi yìxiē yào. Zài gěi nǐ

打 一 针。
dǎ yì zhēn.

（拿了药以后）

病 人： 这 药 怎么 吃？
bìngrén: Zhè yào zěnme chī?

护士： 一 天 三 次，一 次 两 片，饭 后 吃。
hùshì: Yì tiān sān cì, yí cì liǎng piàn, fàn hòu chī.

（二）玛丽哭了

罗 兰： 玛丽，你 怎么 哭 了？病 了 吗？
Luólán: Mǎlì, nǐ zěnme kū le? Bìng le ma?

玛丽： 不 是。想 家 了。因为 感到 寂寞，心情 不
Mǎlì: Bú shì. Xiǎng jiā le. Yīnwèi gǎndào jìmò, xīnqíng bù

好，所以 很 难过。
hǎo, suǒyǐ hěn nánguò.

罗 兰： 别 难过 了。
Luólán: Bié nánguò le.

玛丽： 你 不 想 家 吗？
Mǎlì: Nǐ bù xiǎng jiā ma?

罗 兰： 我 也 常 想 家，但是 不 感到 寂寞。
Luólán: Wǒ yě cháng xiǎng jiā, dànshì bù gǎndào jìmò.

玛丽： 我 有 姐姐，还 有 弟弟。在 家 时，我们
Mǎlì: Wǒ yǒu jiějie, hái yǒu dìdi. Zài jiā shí, wǒmen

常常　一起 玩儿，所以 感到 寂寞 时 总
chángcháng yìqǐ wánr, suǒyǐ gǎndào jìmò shí zǒng

想 他们。
xiǎng tāmen.

罗 兰：今天 晚上 礼堂 有 舞会，我们 一起 去
Luólán: Jīntiān wǎnshang lǐtáng yǒu wǔhuì, wǒmen yìqǐ qù

跳跳 舞 吧。玩玩儿 就 好 了。
tiàotiao wǔ ba. Wánwanr jiù hǎo le.

玛 丽：什么 时候 去？
Mǎlì: Shénme shíhou qù?

罗 兰：吃 了 晚饭 就 去 吧。你 在 宿舍　等 我，我
Luólán: Chī le wǎnfàn jiù qù ba. Nǐ zài sùshè děng wǒ, wǒ

来 叫 你。
lái jiào nǐ.

玛 丽：好 吧。
Mǎlì: Hǎo ba.

二 生词 Shēngcí New Words

1. 了 （助） le (an aspect particle used after a verb or an adjective to indicate the completion of a real or expected action or change)
2. 病人 （名） bìngrén patient
3. 肚子 （名） dùzi belly; abdomen
4. 厉害 （形） lìhai intense; severe
5. 片 （量） piàn (a classifier for slices, tablets, etc.)

6.	拉肚子		lā dùzi	to suffer from diarrhoea; to have loose bowels
7.	鱼	(名)	yú	fish
8.	牛肉	(名)	niúròu	beef
9.	化验	(动)	huàyàn	to test
10.	大便	(名、动)	dàbiàn	faeces; to defecate
	小便	(名、动)	xiǎobiàn	urine of human beings; (of humans) to urinate
11.	检查	(动)	jiǎnchá	to examine; to check up
12.	结果	(名)	jiéguǒ	result
13.	出来	(动)	chūlai	to come into sight; to materialize
14.	得	(动)	dé	to suffer from
15.	肠炎	(名)	chángyán	enteritis
16.	消化	(动)	xiāohuà	to digest
17.	开(药)	(动)	kāi (yào)	to prescribe (medicine)
18.	打针		dǎ zhēn	to give or have an injection
19.	后	(名)	hòu	after; behind
20.	哭	(动)	kū	to cry; to weep
21.	寂寞	(形)	jìmò	lonely
22.	所以	(连)	suǒyǐ	therefore
23.	别	(副)	bié	don't; had better not
24.	难过	(形)	nánguò	feeling bad; unhappy
25.	礼堂	(名)	lǐtáng	auditorium
26.	舞会	(名)	wǔhuì	ball
27.	跳舞		tiào wǔ	to dance

三 注释 Zhùshì Notes

（一）怎么了？ What's wrong?

询问已发生的情况及其过程、原因、理由时用"怎么了"。例如：

"怎么了？" is used to inquire about the process, cause and reason of something that has happened, e. g.

（1） A：你怎么了？

B：我感冒了。

（2） A：玛丽怎么了？

B：她肚子疼。

（3） A：你的电脑怎么了？

B：不能上网了。

（二）就吃了一些鱼和牛肉 (I) only ate some fish and beef.

"就"用在动宾词组前，表示动作涉及的范围小、数量少。例如：

"就" is used before a verb-object phrase to indicate that the scope or quantity an act involves is limited, e. g.

（1） 我就喝了一杯啤酒。

（2） 我就有一本词典。

（三）别难过了 Don't feel so bad.

"别……了"用于口语，表示安慰或劝告。例如：

"别…了" is used in the spoken Chinese to console or persuade someone, e. g.

（1） 别哭了。

（2） 上课了，请大家别说话了。

（四）跳跳舞 try dancing/dance a little

"跳跳舞"是离合动词"跳舞"的重叠形式。

"跳跳舞" is the reduplicated form of "跳舞".

四 语法 Yǔfǎ Grammar

(一) 动作的完成：动词 + 了 The completion of an act: Verb + 了

动词后边加上动态助词"了"表示动作完成。例如：

When a verb is followed by "了", it indicates an act is completed, e. g.

A：你喝吗？　　　　A：你喝了吗？

B：喝。　　　　　　B：喝了。

A：他喝吗？　　　　A：他喝了吗？

B：他不喝。　　　　B：他没（有）喝。

"动词 + 了" 要带宾语时，宾语前要有数量词或其他词语作定语。例如：

If "verb + 了" takes an object, numeral-classfier compound or other word is required before the object as its attribute, e. g.

(1) 我买了一本书。

(2) 他喝了一瓶啤酒。

(3) 我吃了一些鱼和牛肉。

如果宾语前没有数量词或其他定语时，句末要有语气助词"了"才能成句。这种句子的功能是传达某种信息，以期引起注意。例如：

If the object does not have a numeral-classifier compound or other attributes before it, the modal particle "了" must be added at the end of the sentence to make the sentence complete. The function of such a sentence is to transmit certain information and draw the attention of the listener to a fact, e. g.

(1) 我买了书了。(我不买了。/你不要给我买了。)

(2) 我们吃了晚饭了。(不吃了。/你不用给我们做了。)

(3) 我喝了药了。(不喝了。/你放心吧。)

如果宾语前既没有数量词或其他定语，句末也没有语气助词"了"，必须再带一个动词或分句，表示第二个动作紧跟第一个动作后发生。例如：

If the object has neither a numeral-classifier compound or other attributes before it, nor is there a "了" at the end, another verb or a clause must be added to indicate that the second act follows immediately the first one, e. g.

(1) 昨天，我买了书就回学校了。

(2) 晚上我们吃了饭就去跳舞。(说话的时间是下午)

注意：在连动句中，第一动词后边不能有"了"。

Note: In a sentence with verb construction in series, "了" cannot be added to the first verb, e. g.

不能说：* 他去了上海参观。

应该说：他去上海参观了。

不能说：* 她们坐了飞机去香港。

应该说：她们坐飞机去香港了。

正反疑问句形式是：

The affirmative-negative question form is:

……了没有？	或	动词	+	没（有）	+	动词
……了没有？	or	Verb	+	没（有）	+	Verb

(1) A：你给妈妈打电话了没有？

B：打了。

(2) A：你吃药了没有？

B：没有吃。

（3）A：她来了没有？

B：她没来。

（4）A：你看电影了没有？

B：看了。

否定式是在动词前面加“没（有）”，动词后不再用”了”。例如：

The negative form is to add“没（有）”before the verb，“了”is no longer used after the verb，e. g.

（1）A：你吃了几片药？

B：我没有吃药。

（2）A：你买了几张地图？

B：我没有买地图。

（二）因为……所以……　because...（so/therefore...）

“因为……所以……”连接一个因果复句。表达事物的原因和结果。

“因为……所以……”links a cause-effect complex sentence and explains the cause and effect of something，e. g.

（1）他因为病了，所以没有来上课。

（2）他因为要去中国工作，所以学习汉语。

（3）因为她学习很努力，所以学得很好。

“因为”和“所以”都可以单独使用，“因为”表示原因；“所以”表示结果。例如：

Both“因为”and“所以”can be used separately.“因为”tells the cause，and“所以”tells the result，e. g.

（4）因为下雨，下午我们不去公园了。

（5）我觉得很寂寞，所以常常想家。

五 练习 Liànxí Exercises

1 语音 Phonetics

(1) 辨音辨调 Pronunciations and tones

dùzi	tùzi	dàbiàn	dábiàn
jiéguǒ	jiēzhe	xiāohuà	xiàohua
gǎndào	kàn dào	dànshì	dāngshí
wǔhuì	wùhuì	lìhai	lìhài

(2) 朗读 Read out the following phrases

头疼	牙疼	肚子疼
头疼得很厉害	牙疼得很厉害	肚子疼得厉害
别说了	别哭了	别喝了
别睡了	别看了	别去了
检查身体	检查一下	检查了一下
感到寂寞	感到高兴	感到不舒服

2 替换 Substitutions

(1) A：他怎么了？

B：他拉肚子了。

哭	病
想家	感冒
发烧	喝酒喝多

(2) A：你吃什么了？

B：吃了一些鱼和牛肉。

喝	一瓶啤酒
买	一本词典
写	两封信
看	一个电影
借	一张光盘
听	新课的录音

(3) A：你吃饭了没有？

B：吃了。

吃	药
写	信
换	钱
喝	酒
买	报纸
去	礼堂

(4) A：你买什么了？

B：我买光盘了。

A：买了多少？

B：我只买了两张。

带	药	1	瓶
要	啤酒	2	瓶
买	铅笔	2	支
写	信	1	封
换	人民币	500	元

(5) A：你什么时候去？

B：我吃了饭就去。

下了课	买了书
换了衣服	做了练习
打了球	看了电影

3 选词填空 Choose the right words to fill in blanks

感到	难过	所以	又	疼	总	拉	检查

(1) 昨天晚上我______肚子了。

(2) 我的肚子______得很厉害。

(3) 刚来中国的时候，我______想家。

(4) 大夫______以后说我不是得了肠炎，只是消化不良。

(5) 她______发烧了。

(6) 别______了，我们一起去跳跳舞吧。

(7) 因为我爸爸在中国工作，______要我来中国留学。

(8) 有时候我也______寂寞，但是过一会儿就好了。

4 为括号里的词选择适当的位置 Put the words in the brackets in the proper places

(1) 我想 A 下 B 课就去 C 买飞机票 D。 (了)

(2) A 来中国以前 B 我 C 看了 D 一个中国电影。 (只)

(3) 昨天我给 A 妈妈 B 发 C 一个伊妹儿 D。 (了)

(4) 上午你去 A 哪儿 B，玛丽来 C 找你，你不在 D。 (了)

(5) A 爸爸 B 给 C 我 D 买了一辆新车。 (又)

(6) 明天晚上我们吃 A 晚饭 B 就去 C 看电影 D。 (了)

(7) 你 A 先 B 化验一下我 C 给你 D 检查。 (再)

(8) 我 A 昨天 B 去 C 看他 D 了。 (又)

5 **用"就"完成句子** Complete the sentences with "就"

（1）明天我吃了早饭＿＿＿＿＿＿＿＿＿＿＿＿＿＿＿＿。

（2）昨天上午我下了课＿＿＿＿＿＿＿＿＿＿＿＿＿＿＿＿。

（3）上午我觉得有点儿发烧，下了课＿＿＿＿＿＿＿＿＿＿。

（4）我去银行换了钱＿＿＿＿＿＿＿＿＿＿＿＿＿＿＿＿。

（5）我们看了电影＿＿＿＿＿＿＿＿＿＿＿＿＿＿＿＿＿。

（6）她吃了药＿＿＿＿＿＿＿＿＿＿＿＿＿＿＿＿＿＿。

6 **完成会话** Complete the dialogues

（1）A：昨天晚上你做什么了？

B：＿＿＿＿＿＿＿＿＿＿＿＿。

A：你给妈妈打电话了吗？

B：＿＿＿＿＿＿＿＿＿＿＿＿。

（2）A：你去书店了没有？

B：＿＿＿＿＿＿＿＿＿＿＿＿。

A：买光盘了吗？

B：＿＿＿＿＿＿＿＿＿＿＿＿。

A：买了多少？

B：＿＿＿＿＿＿＿＿＿＿＿＿。

（3）A：这本书你学了没有？

B：＿＿＿＿＿＿＿＿＿＿＿＿。

A：学了几课了？

B：＿＿＿＿＿＿＿＿＿＿＿＿。

（4）A：＿＿＿＿＿＿＿＿＿＿＿＿？

B：我买药了。

A：＿＿＿＿＿＿＿＿＿＿＿＿？

B：我买了一瓶。

(5) A：______________________？

B：我去看电影了。

A：______________________？

B：我看了一个中国电影。

7 改错句 Correct the sentences

(1) 她感冒了，昨天我去了看她。

____

(2) 昨天的作业我还没有做了。

____

(3) 玛丽常常去了操场锻炼身体。

____

(4) 昨天晚上我没做了作业就睡觉了。

____

(5) 昨天我吃了早饭就去教室。

____

(6) 那天他下了课就来我这儿。

____

8 根据实际情况回答下列问题 Answer the questions according to actual situations

(1) 今天早上起了床做什么了？

____

(2) 你吃了早饭去哪儿了？

____

(3) 中午下了课去哪儿吃饭？

____

(4) 中午你吃了饭做什么了？

____

(5) 你什么时候做练习？

____

(6) 今天晚上你看电影吗？

____

(7) 昨天晚上你看电影了没有？

____

(8) 昨天晚上你做练习了没有？

____

9 读后说 Read and express

我 病 了

我病了。头疼、发烧、嗓子也疼，不想吃东西，晚上咳嗽得很厉害。上午同学们都去上课了，我一个人在宿舍里，感到很寂寞，很想家。我家里人很多，有哥哥、姐姐，还有一个弟弟。在家的时候，我们常一起玩儿。现在，我在中国学习汉语，寂寞的时候就常常想他们。

因为不舒服，所以我今天起得很晚。起了床就去医院了。大夫给我检查了一下儿，说我感冒了。给我打了一针，还开了一些药。他说，没关系，吃了药，病就好了。

老师和同学们知道我病了，都来看我。林老师听说我不想吃东西，还给我做了一碗面条。吃了面条，身上出了很多汗，老师说，出了汗可能就不发烧了。

下午，不发烧了，心情也好了。我上网给姐姐发了一封伊妹儿。

我说，我在这儿生活得很好，我们老师也很好，还有很多好朋友，和他们在一起，我感到很愉快。

补充生词　Supplementary words

1.	嗓子	sǎngzi	throat；voice
2.	出汗	chū hàn	to perspire；to sweat

10 写汉字　Learn to write

拉	扌　[illegible]　[illegible]　[illegible]　[illegible]　拉
肚	月　月一　月十　肚
厉	一　厂　[illegible]　[illegible]　厉
害	宀　[illegible]　[illegible]　[illegible]　[illegible]　害
鱼	[illegible]　[illegible]　[illegible]　[illegible]　[illegible]　[illegible]　[illegible]　鱼
肉	丨　冂　内　内　肉
检	木　[illegible]　[illegible]　[illegible]　[illegible]　[illegible]　检
查	木　杳　查
消	氵　氵　[illegible]　[illegible]　[illegible]　消　消　消
牛	[illegible]　[illegible]　[illegible]　牛

等	丿	𠂉	𥫗	竹	竺	竺	笙	笙	等	等	
炎	丶	丷	火	火	炎						
结	乚	纟	纟	纟	纤	纤	结				
跳	口	口	𠯁	𠯁	足	跀	跀	跀	跳	跳	跳
药	一	艹	艹	艹	苎	苎	苎	药	药		

Lesson 28

Dì èrshíbā kè 第二十八课	Wǒ chī le zǎofàn jiù lái le 我吃了早饭就来了

一 课文 Kèwén Text

（一）我吃了早饭就来了

（小张住的地方离公司太远，他想租一套近点儿的房子，今天他休息，又去看房子了……）

小张：我吃了早饭就来了。
Xiǎo Zhāng: Wǒ chī le zǎofàn jiù lái le.

业务员：我也是，接了你的电话，八点半就到这儿了。上次您看了几套房子？
yèwùyuán: Wǒ yě shì, jiē le nǐ de diànhuà, bā diǎn bàn jiù dào zhèr le. Shàng cì nín kàn le jǐ tào fángzi?

小张：看了三套，都不太满意。有的太小，有的周围环境太乱。
Xiǎo Zhāng: Kàn le sān tào, dōu bú tài mǎnyì. Yǒu de tài xiǎo, yǒu de zhōuwéi huánjìng tài luàn.

业务员：我再带你去看几套吧。
yèwùyuán: Wǒ zài dài nǐ qù kàn jǐ tào ba.

（看了房子以后）

小 张：这几套房子，厨房、卧室还可以，但是客厅面积小了点儿。有没有大一点儿的？
Xiǎo Zhāng: Zhè jǐ tào fángzi, chúfáng、wòshì hái kěyǐ, dànshì kètīng miànjī xiǎo le diǎnr. Yǒu méiyǒu dà yìdiǎnr de?

业务员：有，楼上18层有一套，客厅30多平（方）米。咱们上去看看吧。
yèwùyuán: Yǒu, lóu shàng 18 céng yǒu yí tào, kètīng 30 duō píng（fāng）mǐ. Zǎnmen shàngqu kànkan ba.

……

小 张：这套房子下午就没有阳光了吧？
Xiǎo Zhāng: Zhè tào fángzi xiàwǔ jiù méiyǒu yángguāng le ba?

业务员：是的。
yèwùyuán: Shì de.

小 张：我还是想要上下午都有阳光的。
Xiǎo Zhāng: Wǒ háishi xiǎng yào shàng xiàwǔ dōu yǒu yángguāng de.

（二）我早就下班了

（小张的妻子回来了）

小 张：怎么现在才下班？
Xiǎo Zhāng: Zěnme xiànzài cái xià bān?

妻子：我早就下班了。路上堵车堵得厉害。
qī zi: Wǒ zǎo jiù xiàbān le. Lù shang dǔ chē dǔ de lìhai.

我下了班就往回赶，到现在才到家。
Wǒ xià le bān jiù wǎng huí gǎn, dào xiànzài cái dào jiā.

……你今天看了几套房子？
…… Nǐ jīntiān kàn le jǐ tào fángzi?

小张：看了七八套。有一套我觉得不错。等
Xiǎo Zhāng: Kàn le qī bā tào. Yǒu yí tào wǒ juéde búcuò. Děng

你休息的时候，再一起去看看。要是你
nǐ xiūxi de shíhou, zài yìqǐ qù kànkan. Yàoshi nǐ

也满意，咱们就租了。
yě mǎnyì, zǎnmen jiù zū le.

妻子：房租多少钱？
qī zi: Fángzū duōshao qián?

小张：一个月三千块。
Xiǎo Zhāng: Yí ge yuè sānqiān kuài.

妻子：怎么这么贵！
qī zi: Zěnme zhème guì!

小张：虽然贵了点儿，但是房子真好。
Xiǎo Zhāng: Suīrán guì le diǎnr, dànshì fángzi zhēn hǎo.

妻子：周围环境怎么样？
qī zi: Zhōuwéi huánjìng zěnmeyàng?

小张：环境特别好。西边是山，山下边有一
Xiǎo Zhāng: Huánjìng tèbié hǎo. Xībian shì shān, shān xiàbian yǒu yì

条小河，河边是一个很大的公园。
tiáo xiǎo hé, hé biān shì yí ge hěn dà de gōngyuán.

周围非常安静。
Zhōuwéi fēicháng ānjìng.

妻子：交通方便不方便？
qī zi: Jiāotōng fāngbiàn bu fāngbiàn?

小张：交通很方便。楼下就有公共汽车站，坐车十分钟就到公司了。汽车站旁边就是地铁站。附近有学校、医院和体育馆……
Xiǎo Zhāng: Jiāotōng hěn fāngbiàn. Lóu xià jiù yǒu gōnggòng qìchē zhàn, zuò chē shí fēnzhōng jiù dào gōngsī le. Qìchēzhàn pángbiān jiù shì dìtiě zhàn. Fùjìn yǒu xuéxiào、yīyuàn hé tǐyùguǎn ……

二 生词 Shēngcí New Words

1. 租	（动）	zū	to rent
2. 套	（量）	tào	（classifier）set；suite
3. 房子	（名）	fángzi	house；building
4. 满意	（形）	mǎnyì	satisfied，satisfactory
5. 有的	（代）	yǒude	some；part of a group of people or things
6. 周围	（名）	zhōuwéi	surrounding area；circumambience

7.	环境	（名）	huánjìng	environment; surroundings
8.	乱	（形）	luàn	disorderly
9.	厨房	（名）	chúfáng	kitchen
10.	卧室	（名）	wòshì	bedroom
11.	客厅	（名）	kètīng	living room
12.	面积	（名）	miànjī	area
13.	层	（量）	céng	(classifier) storey; floor; tier; stratum
14.	平(方)米	（量）	píng(fāng)mǐ	square metre
15.	上去	（动）	shàngqu	to go up
16.	阳光	（名）	yángguāng	sunshine
17.	还是	（副）	háishi	had better
18.	妻子	（名）	qīzi	wife
19.	情况	（名）	qíngkuàng	situation; condition; state of affairs
20.	才	（副）	cái	just
21.	堵车		dǔ chē	traffic jam; traffic congestion
22.	赶	（动）	gǎn	to try to catch; to make a dash
23.	要是	（连）	yàoshi	if
24.	房租	（名）	fángzū	rent; rental
25.	虽然	（连）	suīrán	though; although
26.	真	（副、形）	zhēn	really; truly; indeed; true; real
27.	条	（量）	tiáo	(a classifier for river, fish,

legs, etc.)

28. 河	(名)	hé	river
29. 交通	(名)	jiāotōng	transportation
30. 方便	(形)	fāngbiàn	convenient
31. 站	(名)	zhàn	station
32. 公共汽车		gònggòng qìchē	bus
33. 车站	(名)	chēzhàn	station; bus stop
34. 旁边	(名)	pángbiān	side
35. 地铁	(名)	dìtiě	subway; tube train
36. 附近	(名)	fùjìn	nearby; vicinity
37. 体育馆	(名)	tǐyùguǎn	gymnasium

三 注释 Zhùshì Notes

(一) 这几套房子，厨房、卧室还可以，但是客厅面积小了点儿

"形容词 + 了（一）点儿"表示跟某一个标准相比，程度不合适。表示不满意。例如：

"Adjective + 了（一）点儿" suggests unacceptability in degree, especially when measured with a criterion. It implies dissatisfaction.

(1) 这种毛衣五百块一件，贵了点儿。

(2) 这个语法难了点儿。

(二) 我还是想要上下午都有阳光的

"还是"表示希望，有"这样比较好或这么办比较好"的意思。

"还是" expresses a meaning of "this (way) would be better".

(1) 我还是想一个人住一个房间，不愿意跟别人合住。

(2) 天冷了，还是买一件羽绒服吧。

四 语法 Yǔfǎ Grammar

（一）"就"和"才" "就" and "才"

副词"就"和"才"都可以放在动词前面作状语。

The adverbs "就" and "才" are used before verbs to function as adverbials.

"就"表示不久即将发生。例如：

"就" means something is about to happen, e.g.

（1）你等一下，她就来。

（2）现在六点，我们六点半就出发。

"才"表示事情在不久前刚刚发生。例如：

"才" means something has just happened, e.g.

（3）我才到家。

（4）她才来半年就已经说得不错了。

"就"还表示事情发生得早、快、容易做或进行得顺利等。例如：

"就" is also used to suggest the earliness, quickness and easiness of an act, or that something is going on smoothly, e.g.

（5）她来中国以前就学汉语了。

（6）不要两个小时，一个小时就到了。

（7）她吃了两片药就好了。

（8）我早就下班了。

"才"表示事情发生得晚、慢、不容易做或进行得不顺利。例如：

"才" is used to indicate the lateness, slowness or difficulty involved in an act, or that something is going on unsmoothly, e.g.

（9）他十点钟才起床。

（10）八点上课，她八点半才来。

（11）你怎么现在才来？

（12）我才会用筷子吃饭。

（二）要是……（的话），就……　if...（then）...

“要是…就…”连接一个复句。表示在假设情况下产生的结果。例如：

“要是…就…” links a complex sentence. It indicates the result of a hypothetical condition, e. g.

（1）要是你来，就给我打个电话，我去车站接你。

（2）要是想家，就给妈妈打个电话。

（3）要是你去，我就去。

（三）虽然……但是……　although...（but）...

“虽然……但是……”连接两个分句，表示转折关系。先肯定和承认“虽然”后边的事实，然后突出“但是”后边的意思。“但是”可以单用。例如：

“虽然…但是…” links two clauses and expresses a transition. This pattern first affirms and admits the fact following “虽然”, and then emphasizes the clause following “但是”. “但是” may be used independently, e. g.

（1）他虽然学的时间不长，但是说得很不错。

（2）外边虽然很冷，但是屋子里很暖和。

（3）我也想家，但是我不感到寂寞。

五 练习 Liànxí Exercises

1 语音 Phonetics

（1）辨音辨调　Pronunciations and tones

yàoshì　　yàoshi　　zhōuwéi　　shǒuwèi

huánjìng gānjìng fāngbiàn fāngmiàn
fùjìn fùqin yángguāng yǎnguāng

（2）朗读 Read out the following phrases

我六点钟就起床了。 他七点钟才起床。
练习她一个小时就做完了。 我两个小时才做完。
坐飞机一个小时就到了。 坐火车八个小时才到。
明天我吃了早饭就去医院。 昨天我吃了早饭就去医院了。
明天我下了课就去看她。 昨天我下了课就去看她了。

2 替换 Substitutions

（1）A：你吃了早饭去哪儿了？
B：我吃了早饭就去看房子了。

医院看病	图书馆
买票	银行换钱
商店买东西	踢足球

（2）A：你什么时候出发？
B：吃了早饭就出发。

去医院	下了课
去图书馆	吃了午饭
看比赛	吃了晚饭
回来	买了东西
做练习	看了电视
去跳舞	下了课

(3) A：你今天回来得早吗？

B：不早，我八点半才回来。

来	去	起	走

(4) A：怎么这么贵？

B：虽然贵了点儿，但是房子很好。

小	很干净
远	有车
难	很有意思
多	不太难

(5) 要是你也满意，咱们就租了。

便宜一点儿	买了
不太远	骑车去
他喜欢	给他
你不喜欢	不买了

3 选词填空 Choose the right words to fill in blanks

环境	条	附近	旁边	方便	打算	就	要是	才	还	套	虽然

(1) 他昨天晚上九点______回家。

(2) 你们这______房子真不错。

(3) 我下了课______去医院看病了。

(4) 我觉得这次考得______可以。

(5) ______有什么事，就对我说，不要客气。

(6) ______只学了一个多月，但是已经会说很多话了。

(7) 我______毕业以后去中国留学。

(8) 这儿周围的______很好。

(9) 我们住的地方有地铁站，交通很______。

(10) 公共汽车站就在我们学校______。

(11) 学校______有邮局、银行、商店、公园和体育馆。

(12) 这______河里的水很干净。

4 用"就"或"才"填空 Fill in the following blanks with "就" or "才"

(1) 她每天都六点半起床，今天六点钟______起床了。

(2) 八点钟上课，他八点半______来。

(3) 电影七点半______开演呢，你怎么现在______来了。

(4) 飞机下午一点______起飞，上午十点他们______去机场了。

(5) 我觉得听很困难，同学们听一遍______懂了，我听两三遍______能懂。

(6) 昨天晚上我十二点______睡觉。

(7) 他上午下了课______去医院了。

(8) 坐飞机去两个多小时______到了，坐汽车十五个小时______能到。

5 完成句子 Complete the following sentences

(1) 要是你来，就______________________________。

(2) 虽然有点儿贵，但是______________________________。

(3) 要是你想买，就______________________________。

(4) 要是你觉得不舒服，就______________________________。

(5) 屋子虽然不大，但是______________________________。

(6) 她虽然学的时间不长，但是______________________________。

6 完成会话 Complete the dialogues

(1) A：你觉得这套房子怎么样？

B：虽然有点儿小，＿＿＿＿＿＿＿＿＿＿。（但是）

(2) A：这件衣服怎么样？

B：虽然比较贵，＿＿＿＿＿＿＿＿＿＿。（但是）

(3) A：你们国家城市（chéngshì：city）交通怎么样？

B：＿＿＿＿＿＿＿＿＿＿。（方便/堵车堵得厉害）

(4) A：你今天去得早吗？

B：很早＿＿＿＿＿＿＿＿＿＿。（就）

(5) A：你怎么现在＿＿＿＿＿＿＿＿＿＿？（才）

B：路上车堵得厉害。

(6) A：你怎么现在才来电话？

B：今天下午我＿＿＿＿＿＿＿＿＿＿了。

7 根据实际情况回答下列问题

Answer the questions according to actual situations

(1) 你每天早上吃了早饭做什么？

＿＿＿＿＿＿＿＿＿＿＿＿＿＿＿＿＿＿＿＿

(2) 星期日你吃了早饭去哪儿了？

＿＿＿＿＿＿＿＿＿＿＿＿＿＿＿＿＿＿＿＿

(3) 你吃了午饭常常做什么？

＿＿＿＿＿＿＿＿＿＿＿＿＿＿＿＿＿＿＿＿

(4) 昨天你吃了午饭做什么了？

＿＿＿＿＿＿＿＿＿＿＿＿＿＿＿＿＿＿＿＿

(5) 你吃了晚饭常常做什么？

____

(6) 昨天你吃了晚饭做什么了？

____

8 改错句 Correct the sentences

(1) 你想想才买吧。

____

(2) 你的病还没有好，病好了以后才上课吧。

____

(3) 昨天我很不舒服，八点才睡觉。

____

(4) 听了我的话，就玛丽很快不哭了。

____

(5) 到中国以后，这个电影我再看了一遍。

____

(6) 今年九月，他再来中国了。

____

9 读后说 Read and express

我在中国的家

我去年来中国。来中国以后，认识了一个中国人，他就是我的中国爸爸。他有一个十六岁的女儿，叫小丽，她很喜欢学英语。有一次，我去他家的时候，小丽对我说："艾华（Àihuá）姐姐，你来和我一起住好吗？要是你能住我家多好啊！我爸爸妈妈也欢迎姐姐住我家。”听了小丽的话我心里很高兴。我想，来北京以后，我还没有中国朋友。小丽的爸爸妈妈就像我的爸爸妈妈一样。我想学好汉语，但是练习会话的时间很少，住小丽家可以教小丽英语，他们也可以帮助我学习汉语。

三天后，我就去他们家住了。开始的时候，他们对我很客气，我对他们也非常有礼貌。时间长了，我们就像一家人了。我觉得，这儿就是我的家。晚上我回家以后，小丽给我讲一些学校里有意思的人和事，她也想知道西方国家的情况。我给他们介绍我们国家的文化。我要是有问题就问他们，他们会认真地给我解答。每天我们都过得很愉快。

在我的中国家里，我能练习说汉语，也能了解中国的文化。

一天，我爸爸、妈妈来电话，问我想不想家，我说不想家。我告诉他们，现在我在中国也有了一个家。他们听了很高兴，还说，他们也想来中国，看看我在中国的家。

10 写汉字 Learn to write

光

交

通

河

共

字												
房	丶	亠	亠	户	户	户	房	房				
朝	十	古	卓	朝								
周	丿	冂	冂	用	周	周						
围	丨	冂	冂	冂	冂	冂	围					
环	王	王一	王丆	王不	环							
境	土	土丶	土亠	土亠	土亠	垃	培	境	境			
乱	二	千	千	舌	乱							
层	乛	コ	尸	尸	层	层	层					
楼	木	木一	木丷	木䒑	木米	木米	楼	楼				
蛋	乛	疋	疋	蛋	蛋							
站	丶	亠	亠	立	立	立	立	站				

Lesson 29

Dì èrshíjiǔ kè
第二十九课

Wǒ dōu zuò duì le
我都做对了

一 课文 Kèwén Text

（一）我都做对了

（考试以后……）

玛丽：你今天考得怎么样？
Mǎlì: Nǐ jīntiān kǎo de zěnmeyàng?

罗兰：这次没考好。题太多了，我没有做完。
Luólán: Zhè cì méi kǎo hǎo. Tí tài duō le, wǒ méiyǒu zuò wán.

你做完了没有？
Nǐ zuò wán le méiyǒu?

玛丽：我都做完了，但是没都做对，做错了
Mǎlì: Wǒ dōu zuò wán le, dànshì méi dōu zuò duì, zuò cuò le

两道题，所以成绩不会太好。
liǎng dào tí, suǒyǐ chéngjì bú huì tài hǎo.

罗兰：语法题不太难，我觉得都做对了。听力
Luólán: Yǔfǎ tí bú tài nán, wǒ juéde dōu zuò duì le. Tīnglì

比较难，很多句子我没听懂。
bǐjiào nán, hěn duō jùzi wǒ méi tīng dǒng.

玛丽：我也不知道做对了没有。我的词典呢？
Mǎlì: Wǒ yě bù zhīdào zuò duì le méiyǒu. Wǒ de cídiǎn ne?

罗兰：我没看见你的词典。你找词典干什么？
Luólán: Wǒ méi kàn jiàn nǐ de cídiǎn. Nǐ zhǎo cídiǎn gàn shénme?

玛丽：我查一个词，看看写对了没有。……糟糕，写错了，是这个“得”，我写成这个“的”了。
Mǎlì: Wǒ chá yí ge cí, kànkan xiě duì le méiyǒu. ……Zāogāo, xiě cuò le, shì zhè ge “de”, wǒ xiě chéng zhè ge “de” le.

罗兰：别查了，休息休息吧。快打开电脑，看看你买的电影光盘吧。
Luólán: Bié chá le, xiūxi xiūxi ba. Kuài dǎ kāi diànnǎo, kànkan nǐ mǎi de diànyǐng guāngpán ba.

玛丽：我的衣服还没有洗完呢，还得给我妹妹回信。
Mǎlì: Wǒ de yīfu hái méiyǒu xǐ wán ne, hái děi gěi wǒ mèimei huí xìn.

罗兰：看完电影再洗吧。
Luólán: Kàn wán diànyǐng zài xǐ ba.

（二）看完电影再做作业

吃完晚饭，我和玛丽回到宿舍。玛丽说，田芳借给她了一本书，书里都是小故事，很有意思。我问她，你看完了没有。她说，还没看完呢，才看到三十页。

我问玛丽："都看懂了吗？"

她回答："有的看懂了，有的没看懂。"

"可以让我看看吗？"

"当然可以。"

我看了两个故事，也觉得很有意思。看到有意思的地方，就想笑。我对玛丽说："咱们可以用这些故事练习会话。"

玛丽说："怎么练习？"

"我念完一个故事，问你几个问题，看你能不能答对；你念完一个故事，也问我几个问题，看我能不能答对。"

玛丽说："这是个好办法。"

我念了一个故事，玛丽听懂了。问了她五个问题，她都答对了。

她念了一个故事，合上书，问我听懂了没有。我说有的地方没听懂，她打开书，又念了一遍，我才听懂。她也问了五个问题，我答对了四个，答错了一个。

我们还没有练习完，就听见安娜在门外叫我们。我开开门问她："什么事？"

"晚上礼堂有电影，你们看吗？"

"什么电影？"

"是个新电影，我不知道叫什么名字。田芳说这个电影非常好。"

"想看。但是我今天的作业还没有做完呢，课文也读得不太熟。"

安娜说："我也没做完呢，看完电影再做吧。"

说完，我们三个就去礼堂看电影了。我们看到九点才看完。九点半我才开始做作业。做完作业已经十点半了。

二 生词 Shēngcí New Words

1.	考试	（动、名）	kǎoshì	to exam; to test; examination
2.	题	（名）	tí	question; problem
3.	完	（动）	wán	to finish; to be over
4.	道	（量）	dào	(a classifier for questions, orders, etc.)
5.	成绩	（名）	chéngjì	fruits of study or work
6.	句子	（名）	jùzi	sentence
7.	干什么		gàn shénme	(asking for the reason or purpose)
8.	干	（动）	gàn	to do; to work
9.	看见		kàn jiàn	to see; to catch sight of
	见	（动）	jiàn	to see; to catch sight of
10.	词	（名）	cí	word
11.	糟糕	（形）	zāogāo	terrible; too bad
12.	成	（动）	chéng	to become; to turn into
13.	回信		huí xìn	to write back; to write in reply
14.	故事	（名）	gùshi	story
15.	有意思		yǒu yìsi	interesting
16.	页	（量）	yè	(classifier) page
17.	笑	（动）	xiào	to smile; to laugh
18.	会话	（名、动）	huìhuà	dialogue; to converse
19.	念	（动）	niàn	to read aloud

20. 答	（动）	dá	to answer
21. 办法	（名）	bànfa	way to handle affairs; method
22. 合上		hé shàng	to shut; to close
上	（动）	shàng	(as the complement of a verb indicating the attainment of an objective or result of an action)
23. 听见		tīng jiàn	to hear
24. 打开		dǎ kāi	open; unfold
25. 作业	（动）	zuòyè	homework
26. 熟	（形）	shú	familiar; well acquainted
27. 再	（副）	zài	(indicating one action taking place after the completion of another)

专名 Zhuānmíng **Proper name**

安娜	Ānnà	Anna

三 语法 Yǔfǎ Grammar

（一）动作结果的表达：结果补语

Expression of the result of an act: the complement of result

动词“完、懂、见、开、上、到、给、成”和形容词“好、对、错、熟、早、晚”等都可以放在动词后边作结果补语，表示动作的结果。

The verbs “完，懂，见，开，上，到，给，成” and the adjectives “好，对，错，熟，早，晚”, etc., can be placed after verbs as their complements to indicate the result of an act.

> 肯定式：动词 + 动词/形容词 +（了）
>
> The affirmative form: Verb + Verb/Adjective +（了）

(1) 我听懂了老师的话。

(2) 我看见玛丽了。她在操场打太极拳呢。

(3) 今天的作业我做完了。

(4) 我答错了两道题。

否定式：没（有）+动词+结果补语+（了）

The negative form：没（有）+ Verb + Complement of result +（了）

否定句的补语后要去掉"了"。

After the complement of a negative sentence，"了" is removed.

(4) 你没有听见吗？安娜在叫你。

(5) 这课课文我没有看懂。

(6) 我没有看见你的词典。

(7) 这件衣服没洗干净。

(8) 这道题我没做对。

正反疑问句形式是："……了没有？"

The affirmative-negative question form is "…了没有？"

(9) A：你看见玛丽了没有？

B：看见了。

(10) A：今天的作业你做完了没有？

B：还没做完呢。

(11) A：这个题你做对了没有？

B：没做对。

动词后边有结果补语又有宾语时，宾语要放在结果补语后边。例如：

If a verb has both a complement of result and an object, the object is placed after the complement, e. g.

(12) 我看错题了。（不能说：＊我看题错了。）

(13) 我没看见你的词典。（≠我没看你的词典。）

动态助词"了"要放在结果补语的后边，宾语的前边。例如：

The aspect particle "了" is placed after the complement of result and before the object, e. g.

(14) 我做错了两道题。

(15) 我只翻译对了一个句子。

（二）结果补语"上"、"成"和"到"

The complement of result: **"上"**, **"成"** and **"到"**

1. "上"作结果补语　"上" as a complement of result

表示两个以上的事物接触到一起。

Indicate the contact of two or more things, e. g.

(1) 关上门吧。

(2) 请同学们合上书，现在听写。

表示一事物附着在一事物上。

Indicate the adherence of one thing to another, e. g.

(3) 请在这儿写上你的名字。

(4) 你穿上这件毛衣试试。

2. "成"作结果补语　"成" as a complement of result

表示动作使一种事物成为另一种事物，变化的结果可以是好的，也可以是不好的。例如：

"成" as a complement of result indicates the change brought about by an action or the transformation of one thing into another (caused by an action). The result of which may be good or bad, e. g.

(1) 这篇课文，老师要我们改成叙述体。

(2) “是不是”，他总说成“四不四”。

(3) 这是个“我”字，你写成“找”字了。

3. “到”作结果补语　“到” as a complement of result

表示动作达到了目的。

Indicate the goal of an act has been reached, e. g.

(1) 我找到王老师了。

(2) 罗兰买到那本书了。

表示通过动作使事物达到某处，宾语为处所词语。例如：

Indicate that something has reached a place through an act (the object is a word denoting a place), e. g.

(3) 我昨天很晚才回到家。

(4) 我们学到二十九课了。

表示动作持续到某时间。

Indicate the time an action will continue to, e. g.

(5) 星期六早上我睡到九点才起床。

(6) 我每天晚上都学到十一二点。

(三) 主谓词组作定语　A subject-predicate phrase as the attributive

主谓词组作定语时要加“的”。例如：

When a subject-predicate phrase is used as an attributive, “的” is added to it, e. g.

(1) 田芳借给你的那本书你看完了没有？

(2) 我们现在学的词大概有一千多个。

(3) 你要的那本书我给你买到了。

四 练习 Liànxí Exercises

1 语音 Phonetics

（1）辨音辨调 Pronunciations and tones

kǎoshì	hǎoshì	gùshi	gǔshī
dìfang	dìfāng	bànfǎ	fāngfǎ
zāogāo	cǎobāo	júzi	jùzi

（2）朗读 Read out the following phrases

回到了学校	回到了宿舍	回到了家	找到了人
关上门	关上电视	开开门	开开电视
洗完了	喝完了	读完了	看完了
买到了	听到了	看见了	听见了
看懂了	听懂了	做对了	说对了
做错了题	写错了字	看错了时间	打错了电话
看完了没有	做完了没有	做对了没有	写错了没有
没有看完	没有做完	没有做对	没有写错

2 替换 Substitutions

（1）A：你看见我的词典了吗？

B：看见了。

看见	我的书
看见	我的光盘
看见	我的手机
看见	王老师
听见	我说的话
听见	她叫你

（2） A：这道题你做对了没有？

B：我做对了。

这个字	写对
这些句子	翻译对
老师的话	听懂
今天的语法	听懂
这本书	看懂
这篇课文	念熟

（3） A：今天的作业你做完了没有？

B：（我）还没做完呢。

这一课的录音	听完
这本书	看完
今天的汉字	写完
这篇课文	念熟
这些衣服	洗完
明天的生词	预习好

（4） A：他写错了吗？

B：没写错。

写对	翻译对
回答错	看懂
听懂	做完

(5) 打开电脑，好吗？

关上电脑	打开灯
关上电视	打开窗户
合上书	打开书

3 选词填空 Choose the right words to fill in blanks

A. 懂　开　成　好　熟　错　关　道　上

(1) 这几______题比较难，我虽然做完了，但是不知道做对没做对。

(2) 外边风很大，______上窗户吧。

(3) 打______电脑，看看你买的光盘吧。

(4) 对不起，我看______时间了，所以来晚了。

(5) 这次我没考______，因为考试前我病了。

(6) 你说得太快，我没听______，请您再说一遍，好吗？

(7) 要是不预习，上课的时候，就很难听______老师讲的语法。

(8) 请大家合______书，现在听写生词。

(9) 糟糕，这个是“找”字，我写______“我”字了。

(10) “ān（安）”这个音，我总是发______“āng”。

(11) 我作业已经做完了，课文还没有念______呢。

B. 看　看见　听　听见

A：你________田芳了没有？

B：________了，她在球场看比赛呢。

A：哪个球场？

B：篮球场。你________！她在那儿呢，________了吗？

A：________了，田芳！田芳！

A：田芳！

B：哎！

A：我刚才叫你，你没______吗？

B：对不起，我没______，你______，我正在______音乐呢。

A：明天下午我想去______电影，你去不去？

B：我也想去。

4 填结果补语 Fill in the blanks with complements of result

(1) A：老师，这个字我写______了吗？

B：没有写______，你写______了。

(2) A：妈妈，晚饭做______了吗？

B：已经做______了。你吃______晚饭有事吗？

A：我要跟同学去看电影。

B：今天的作业你做______了没有？

A：做______了。

B：做______了没有？

A：不知道做______没做______。

(3) A：现在，老师的话你能听______吗？

B：能听______。

(4) A：喂，你找谁？

B：我找玛丽。

A：我们这儿没有玛丽。

B：你是62324567吗？

B：不是。

A：对不起，我打______了。

(5) A：昨天晚上的比赛你看了吗？

B：我看了，但是没看______。

A：怎么没看______？

B：我看______一半（yíbàn：half），肚子疼很厉害，就去医院了。

5 回答问题 Answer the following questions

（1）第一本书你学了吗？

______

（2）第一本书你学完了吗？

______

（3）第二本书你们学了吗？

______

（4）第二本书学完了吗？

______

（5）你们学到第几课了？

______

（6）今天的作业你做完了没有？课文念熟了吗？

______

（7）什么时候能做完？

______

（8）你做完作业我们一起去吃饭，好吗？

______

6 改错句 Correct the sentences

（1）我学这本书完了。

______

(2) 我已经做了完今天的作业。

____

(3) 这个问题我错了回答。

____

(4) 昨天在书店我看了我们班的同学玛丽。

____

(5) 现在能听老师的话懂了。

____

(6) 明天我吃早饭就去买票。

____

7 读后说 Read and express

昨天下午，我和玛丽一起去超市买东西。回到学校的时候，玛丽觉得不舒服，我就陪她一起去医院看病。到了医院，大夫问她："你怎么了？"玛丽说："我头疼，很不舒服。"大夫给她检查了检查说："你感冒了。烧得很厉害，三十九度五。给你打一针吧。"玛丽说："不！我不打针。"大夫说："打了针就不发烧了。"玛丽说："不！你给我一些药吧。我可以吃药，但我不想打针。"于是，大夫给了她一些药。晚上，玛丽吃了药就睡了。

今天早上，她不发烧了。吃完早饭，她要去教室上课，我说："你在宿舍休息吧，我给你请假。"她说："我的感冒已经好了，可以上课了。"

到了教室，老师对玛丽说："玛丽，要是不舒服的话就回宿舍休息吧。"上午，玛丽又有点儿发烧，下了第二节课她就回宿舍了。我对她说："你最好再去医院看看。"

补充生词　Supplementary words

1. 于是	yúshì	so; then
2. 最好	zuìhǎo	had better; it would be best

8 写汉字　Learn to write

千	一	二	千								
完	丶	丷	宀	宁	宇	宇	完				
页	一	丆	丆	百	页	页					
成	一	厂	万	成	成	成					
故	一	十	古	古	古	故	故				
笑	丿	𠂉	⺮	⺮	竺	笑	笑				
念	人	人	今	今	念	念	念				
句	丿	勹	句								
题	日	旦	早	早	是	是	题				
糟	米	米	米	粬	粬	粬	糟	糟	糟		
糕	米	米	米	米	米	米	糕	糕	糕	糕	糕
满	氵	汁	汁	汫	洪	洪	满	满	满	满	

Lesson 30

Dì sānshí kè
第三十课

Wǒ lái le liǎng ge duō yuè le
我来了两个多月了

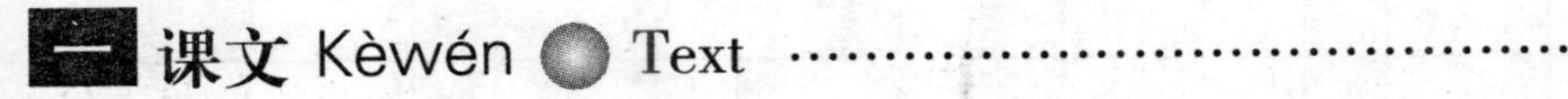

一 课文 Kèwén Text

（一）我来了两个多月了

我来了两个多月了，对这儿的生活差不多已经习惯了，不过有的地方还不太习惯。总觉得这儿的气候特别干燥，宿舍周围不太干净，也不太安静，食堂里的菜太油腻。

我每天早上七点多才起床，所以常常没时间吃早饭，喝杯牛奶就去上课了。不过，课间休息的时候，我可以去喝杯咖啡，吃一块点心。中午我去食堂吃午饭。因为吃饭的人很

多，所以常常要等十多分钟才能买到饭。吃完饭，回宿舍看书或者听一会儿音乐。中午我从来不睡午觉。下午，有时候上两节课，有时候自己学习。四点以后我去体育馆锻炼身体，跑步、游泳、打球或者跟老师学打太极拳。我很喜欢运动，每天都坚持锻炼一个小时，所以身体很好。晚饭后我常常散一会儿步，有时跟朋友聊聊天儿。然后就开始复习功课。听半个小时课文录音，练习会话，预习生词和课文。生词要记住，课文要念熟，所以每天晚上一般要复习预习两三个小时，常常学到十一点多才睡觉。我每天都很忙，但过得很愉快。我很感谢父母给我这个机会，让我来中国留学，原来打算学一年，现在我觉得一年时间太短了，准备再延长一年。

（二）我每天都练一个小时

（早上，关经理和王老师在操场上……）

关经理：你好，王老师。每天都起得这么早吗？
Guān jīnglǐ: Nǐ hǎo, Wáng lǎoshī. Měi tiān dōu qǐ de zhème zǎo ma?

王老师：对，因为我练气功，所以每天五点多就起来了。
Wáng lǎoshī: Duì, yīnwèi wǒ liàn qìgōng, suǒyǐ měi tiān wǔ diǎn duō jiù qǐlái le.

关经理：练了多长时间了？
Guān jīnglǐ: Liàn le duō cháng shíjiān le?

王老师：已经练了好几年了。
Wáng lǎoshī: Yǐjīng liàn le hǎo jǐ nián le.

关 经理：　每天练多长时间？
Guān jīnglǐ:　Měi tiān liàn duō cháng shíjiān?

王　老师：　不一定。有时候练一个钟头，有时候半个钟头。
Wáng lǎoshī:　Bù yídìng. Yǒu shíhou liàn yí ge zhōngtóu, yǒu shíhou bàn ge zhōngtóu.

关 经理：　效果怎么样？
Guān jīnglǐ:　Xiàoguǒ zěnmeyàng?

王　老师：　挺好的。练气功对身体很有好处。以前我有好几种慢性病呢，高血压、失眠，坚持练了几年，我的这些病差不多都好了。你也来练练吧。
Wáng lǎoshī:　Tǐng hǎo de. Liàn qìgōng duì shēnti hěn yǒu hǎochù. Yǐqián wǒ yǒu hǎo jǐ zhǒng mànxìngbìng ne, gāoxuèyā、shīmián, jiānchí liàn le jǐ nián, wǒ de zhèxiē bìng chābuduō dōu hǎo le. Nǐ yě lái liànlian ba.

关 经理：　练气功必须坚持天天练，三天打鱼两天晒网不行。我也很想练，但是工作太忙，没有时间。
Guān jīnglǐ:　Liàn qìgōng bìxū jiānchí tiāntiān liàn, sān tiān dǎ yú liǎng tiān shài wǎng bù xíng. Wǒ yě hěn xiǎng liàn, dànshì gōngzuò tài máng, méiyǒu shíjiān.

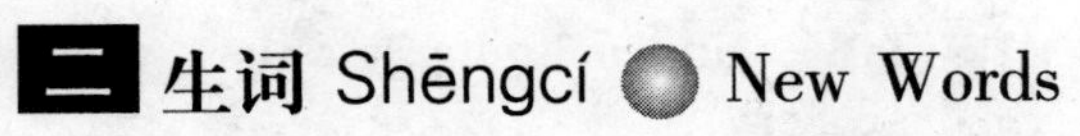

1.	生活	（动、名）	shēnghuó	to live; life
2.	差不多	（副）	chàbuduō	approximately
3.	习惯	（动、名）	xíguàn	to be accustomed to; to be used to; habit
4.	气候	（名）	qìhòu	climate
5.	干燥	（形）	gānzào	arid; dry
6.	干净	（形）	gānjing	clean; neat and tidy
7.	菜	（名）	cài	dish; vegetable
8.	油腻	（形）	yóunì	oily; greasy
9.	牛奶	（名）	niúnǎi	milk
10.	不过	（连）	búguò	but; however
11.	课间	（名）	kèjiān	break (between classes)
12.	块	（量）	kuài	(a classifier for sth. shaped like chunks or lumps)
13.	点心	（名）	diǎnxin	pastry; snack
14.	从来	（副）	cónglái	from the past till the present; always
15.	午觉	（名）	wǔjiào	afternoon nap
16.	游泳		yóu yǒng	to swim; swimming
17.	散步		sàn bù	to go for a walk
18.	功课	（名）	gōngkè	schoolwork; homework
19.	记住		jì zhù	to keep sth. firmly in mind
	记	（动）	jì	to remember
20.	一般	（形）	yìbān	usual; general; common
21.	感谢	（动）	gǎnxiè	to thank

22.	父母	（名）	fùmǔ	father and mother; parents
23.	机会	（名）	jīhuì	chance; opportunity
24.	原来	（形）	yuánlái	original; at first
25.	延长	（动）	yáncháng	to lengthen; to extend
26.	练	（动）	liàn	to practise
27.	气功	（名）	qìgōng	*qigong* (exercise)
28.	好	（副）	hǎo	quite (a few)
29.	不一定		bù yídìng	not necessarily; not regular
30.	钟头	（名）	zhōngtóu	hour
31.	效果	（名）	xiàoguǒ	effect; result
32.	挺	（副）	tǐng	quite; rather
33.	好处	（名）	hǎochù	good; benefit; advantage
	坏处	（名）	huàichù	harm; disadvantage
34.	慢性病	（名）	mànxìngbìng	chronic disease
35.	高血压	（名）	gāoxuèyā	high blood pressure
36.	失眠		shī mián	to suffer from insomnia; sleeplessness
37.	必须	（副）	bìxū	must; have to
38.	打鱼		dǎ yú	to go fishing
39.	晒	（动）	shài	to dry (in the sun)

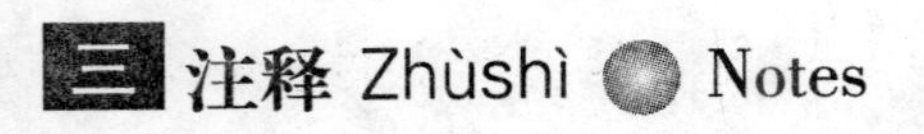

三 注释 Zhùshì Notes

（一）对这儿的生活已经习惯了。

"对"，介词。后跟表示人、事件或处所等名词，说明动作的对象。

"对" as a preposition, is followed by a noun denoting people, an object or a place to indicate the target of an act, e. g.

(1) 你对这儿的生活已经习惯了吧?

(2) 他对我很好。

(3) 练气功对身体很有好处。

(二) 练了好几年了 practised for quite a few years

副词"好"用在"一"、"几"、"多"、"久"等词前，强调数量多、时间久。例如：

The adverb "好" is used before the words "一", "几", "多", "久", etc. to emphasize the number and quantity as well as the length of time, e. g.

(1) 他学了好几年了。

(2) 我等了你好一会儿了。

(3) 我们学了好多生词了。

(三) 三天打鱼，两天晒网 (lit) go fishing for three days and dry the net for two

work by fits and starts, on and off

比喻做事时断时续，不能坚持。

A figure of speech for lacking in perseverance in doing something.

四 语法 Yǔfǎ Grammar

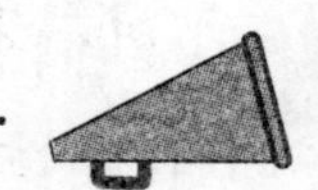

(一) 动作持续时间的表达：时量补语

Indicating the duration of an act: the complement of duration

表达动作或状态持续的时间时汉语用时量补语。询问要说"多长时间(了)"，时量补语由表示时段的词语充当。汉语的时段词语有：一会儿、一分钟、一刻钟、半个小时、一个小时、半天、一天、一个星期、半个月、一个月、半年、一年等。

The complement of duration is used to express the duration of an act or a state. The interrogative form is "多长时间（了）?" (How long?) This type of complement is formed by words denoting the period of time. In Chinese these words include 一会儿 (a while), 一分钟 (a minute), 一刻钟 (a quarter), 半个小时 (half an hour),

一个小时（an hour），半天（half a day），半个月（half a month），一个月（a month），半年（half a year），一年（a year），etc.

动词不带宾语时，时量补语放在动词后边。句型是：

If the verb does not take an object, the complement of duration is placed after the verb. The pattarn is:

主语 + 动词 +（了）+ 时量补语
Subject + Verb +（了）+ Complement of duration

（1）她在大学学了两年。

（2）他在中国生活了一年。

（3）我每天都坚持锻炼一个小时。

动词带宾语（或动词是离合词）时，要重复动词，时量补语放在重复的动词后边。句型是：

If the verb takes an object (or if the verb is a clutching word), the verb needs to be repeated and the complement is placed after the repetition. The pattern is:

主语 + 动词 + 宾语 + 动词 +（了）+ 时量补语
Subject + Verb + Object + Verb +（了）+ Complement of duration

（4）他游泳游了一个下午。

（5）她学汉语学了两个多月了。

（6）我写汉字写了半个小时。

宾语是人称代词时，时量补语要放在宾语后边。

If the object is a personal pronoun, the complement of duration is placed after the object, e. g.

(7) 我找了你一个小时。

(8) 我们在这儿等她一会儿吧。

宾语不是人称代词时，时量补语也可以放在动词和宾语之间。它和宾语之间可以加“的”。

If the object is not a personal pronoun, the complement of duration may be placed between the verb and the object and “的” may be added between the complement and the object, e. g.

(9) A：你看了多长时间（的）电视？

B：我看了一个小时（的）电视。

(10) A：你学了几年（的）汉语？

B：我学了两年（的）汉语。

(11) A：他在北京住了多长时间？

B：他在北京住了五天。

如果动词后边有“了”，句末还有语气助词“了”时，表示动作仍在进行。

If the verb is followed by “了”, and there is the modal particle “了” at the end of the sentence, it indicates that the act is still in progress, e. g.

(12) 她学了一年汉语。（现在可能已不学汉语了。）

她学了一年汉语了。（现在还在学习。）

(13) 他在北京住了两年。（现在不在北京住。）

他在北京住了两年了。（现在还在北京住。）

(14) 我吃了十个饺子。（可能不吃了。）

我吃了十个饺子了。（还在吃。）

（二）概数的表达 Indicating approximate numbers

汉语表达概数主要有以下几种：

There are mainly the following ways to indicate approximate numbers.

1. 相邻的两个数词连用　By joining two neighboring number

（1）我每天晚上学习两三个小时。

（2）一件羽绒服要三四百块钱。

2. 多　By using the word“多”（and more；more than）

（1）这些苹果一共五斤多。

（2）这件毛衣二百多块。

（3）我来中国已经两个多月了。

3. 几　By using the word“几”（several，some）

（1）昨天去了十几个人。

（2）我们大学有几千留学生呢。

（三）离合动词　The clutching verbs

离合动词是指一些动宾结构的双音动词，它们有词的特点，也有某种分离形式。例如：睡觉、考试、唱歌、跳舞、毕业、游泳、见面等。

Clutch verbs in Chinese refer to those disyllabic verbs with a verb - object structure. They bear the regular features of a word but can be detached in usage. These verbs include“睡觉，考试，唱歌，跳舞，毕业，游泳，见面”，etc.

使用上述动词时要注意 Points to note

（1）多数不能带宾语。

Most of them cannot take an object.

不能说：* 我去大使馆见面朋友。

要说：我去大使馆跟朋友见面。

（2）时量补语和动量补语只能放在动宾结构之间。例如：

The complements of frequency and duration must be inserted between the two parts of a clutch verb，e. g.

我睡了七个小时觉。

不能说：* 我睡觉了七个小时。

（3）一些离合动词的重叠形式是：AAB 式：游游泳、见见面、洗洗澡、跳跳舞等。

The reduplicated form for some clutch verbs is: AAB, e. g. 游游泳，见见面，洗洗澡，跳跳舞，etc.

五 练习 Liànxí Exercises

1 语音 Phonetics

(1) 辨音辨调 Pronunciations and tones

búguò	bǔ kè	cóngIái	chóng lái
yìbān	yíbàn	gōngkè	gōngkē
yóu yǒng	yǒuyòng	gǎnxiè	gǎixiě

(2) 朗读 Read out the following phrases

一秒钟	五分钟	一刻钟	半个小时（钟头）
一个小时（钟头）	半天	一个上午	一个下午
一个晚上	一会儿	三天	一星期
三周	半个月	两个月	半年
一年	五十年	一百年	

2 替换 Substitution exercises

(1) A：你睡觉了吗？

B：睡了。

A：睡了多长时间？

B：睡了两个小时。

参观	一个上午
跳舞	一个小时
练书法	一个晚上
打太极拳	半个小时
锻炼	一个钟头

(2) A：你学了几年汉语了？

B：学了一年了。

教	汉语
当	翻译
当	律师
练	气功
开	车
学	书法

(3) A：你坐了多长时间（的）飞机？

B：坐了八个多小时。

学汉语	一年多
踢足球	一个下午
练气功	一个小时
游泳	五十分钟
听录音	半个小时

(4) A：你游 泳 游了多长时间？

B：我游了一个半钟头。

跳	舞	两个小时
看	病	一个上午
听	录音	半个小时
上	网	一个小时
看	电视	一个晚上
打	篮球	一个下午

（5）A：你看了两个小时 比赛吗？

B：没有，我只看了一会儿。

看	电视	一个晚上	半个钟头
踢	足球	一个下午	一个小时
听	音乐	一个钟头	半个钟头
游	泳	一个小时	三十分钟
做	练习	两个小时	一个半小时

（6）A：你打算在这儿 学习一年吗？

B：一年时间太短了，我想再延长一年。

国外	工作
中国	住
北京	生活
这儿	学习
那儿	教

3 选词填空 Choose the right words to fill in blanks

练　差不多　好处　不一定　原来　必须　不过　从来　效果　挺

（1）我______打算学一年，现在想再延长一年。

（2）玛丽每天晚上______要学三个多小时。

（3）学习汉语______坚持，三天打鱼，两天晒网是不行的。

（4）我______不喝酒。

（5）她练太极拳已经______了好几个月了。

（6）A：这种药的______怎么样？

B：______好的。

(7) 她今天晚上______能来。

(8) 打太极拳比较难，______很有意思。

(9) 我觉得这本书对留学生很有______，但是这样的书太少了。

4 问答 Ask and answer questions based on the following timetable

航空时刻表 Schadule of Flight

北京	⟶	广州
10：10		21：40
北京	⟶	上海
08：30		10：45
北京	⟶	香港
08：00		10：50
北京	⟶	西安
17：10		18：45

例：A：从北京到广州坐飞机要多长时间？

B：两个半钟头。

5 根据实际情况回答下列问题 Answer the questions according to actual situations

(1) 你每天上几个小时课？

____

(2) 你每天预习/复习多长时间生词和课文？

____

(3) 昨天你预习/复习了多长时间？

____

(4) 你每天都上网吗？上多长时间？

____

(5) 昨天锻炼了吗？锻炼了多长时间？

____

(6) 你晚上看多长时间电视？

____

(7) 你学了多长时间汉语了？

____

(8) 你打算在中国学习/生活/工作/住几年？

____

6 用"才"或"就"填空 Fill in the blanks with "才" and "就"

(1) 飞机已经起飞了，她______到机场。

(2) 今天的作业我只用了一个小时______做完了。

(3) 博物馆离这儿很近，坐车三站______到了。

(4) 这儿离北京很远，坐火车要坐二十多个小时______能到。

(5) 八点上课，他九点______来。

(6) 他早上六点______出发了。

7 改错句 Correct the sentences

(1) 昨天我看了电视一个小时多。

____

(2) 我哥哥毕业大学已经两年了。

____

(3) 吃完晚饭，我常常跟朋友谈话一会儿。

____

(4) 他已经没上课三天了。

____

(5) 我昨天晚上睡觉了八个小时。

____

(6) 我学习汉语一个年了。

____

8 读后说 Read and express

一个小伙子在公园玩了半天，玩累了，想找一个座位坐下休息一会儿。正好在离他不远的地方有一个长椅子。他想过去坐一会儿。这时一个老人也向椅子那儿走去。小伙子怕老人先过去坐，就很快向椅子那儿跑去。

老人对小伙子大声叫："小伙子，不要过去！"

小伙子不听老人的话，很快跑到椅子那儿，一下子坐在椅子上。

这时，老人过来了，他走到椅子旁边，生气地对小伙子说："你这个小伙子，你没有看见吗？椅子刚涂上油漆，还没干呢！"

"啊！"小伙子一听，马上站起来了。可是裤子已经坐上了很多油漆。

补充生词 Supplementary words

1. 怕	pà	to be worried
2. 涂	tú	to spread; to apply; to smear
3. 油漆	yóuqī	paint
4. 裤子	kùzi	trousers

9 写汉字 Learn to write

字										
原	一	厂	厂	后	盾	盾	原			
延	一	丅	千	壬	廷	延				
功	一	丅	工	玎	功					
活	氵	汇	汗	汗	活					
游	氵	氵	氵	汸	汸	游	游	游	游	游
泳	氵	氵	汀	汋	泳	泳				
惯	忄	忄	怛	怛	惯	惯	惯	惯	惯	惯
效	亠	六	交	交	交	效	效			
果	田	旦	甲	果	果					
处	夂	夂	夂	处	处					
失	丿	仁	生	失						
必	丶	心	心	心	必					
须	丿	彡	彡	彡	须	须	须	须	须	
散	一	艹	艹	艹	背	背	背	散	散	
钟	丿	𠂉	乍	乍	钅	钟	钟			
血	丿	丿	向	向	向	血				
挺	扌	扌	扌	扌	挺	挺	挺			

词汇表 Vocabulary

词语	词性	拼音	课
阿姨	（名）	āyí	26
哎	（叹）	āi	26
爱好	（动、名）	àihào	22
安静	（形）	ānjìng	16
白色	（形）	báisè	23
办	（动）	bàn	18
办法	（名）	bànfǎ	29
半	（名）	bàn	21
帮	（动）	bāng	18
包裹	（名）	bāoguǒ	18
报	（名）	bào	18
报名		bào míng	24
北边	（名）	běibian	23
比	（动）	bǐ	26
比赛	（动、名）	bǐsài	26
必须	（副）	bìxū	30
毕业		bì yè	20
…边	（名）	…biān	23
遍	（量）	biàn	24
表演	（动）	biǎoyǎn	25
别	（副）	bié	27
病	（动、名）	bìng	24
病人	（名）	bìngrén	27
博物馆	（名）	bówùguǎn	23
不错	（形）	búcuò	25
不过	（连）	búguò	30
不一定		bù yídìng	30
不用	（副）	búyòng	18
才	（副）	cái	28
菜	（名）	cài	30
参观	（动）	cānguān	18
参加	（动）	cānjiā	20
操场	（名）	cāochǎng	21
层	（量）	céng	28
查	（动）	chá	16
差	（动、形）	chà	21
差不多	（副）	chàbuduō	30
长	（形）	cháng	19
肠炎	（名）	chángyán	27
常（常）	（副）	cháng（cháng）	16
唱	（动）	chàng	22
超市	（名）	chāoshì	16
车站	（名）	chēzhàn	28
成	（动）	chéng	29
成绩	（名）	chéngjì	29
出	（动）	chū	26
出发	（动）	chūfā	21
出国		chū guó	26
出来	（动）	chūlai	17
出来	（动）	chūlai	27

厨房	（名）	chúfáng	28
床	（名）	chuáng	21
词	（名）	cí	29
次	（量）	cì	24
从	（介）	cóng	23
从来	（副）	cónglái	30
错	（形）	cuò	25
答	（动）	dá	29
打	（动）	dǎ	24
打（电话）	（动）	dǎ（diànhuā）	26
打开		dǎ kāi	29
打算	（动、名）	dǎsuan	20
打听	（动）	dǎting	23
打鱼		dǎ yú	30
打折		dǎ zhé	19
打针		dǎ zhēn	27
大便	（名、动）	dàbiàn	27
大家	（代）	dàjiā	22
代表	（名、动）	dàibiǎo	18
带	（动）	dài	21
当	（动）	dāng	18
当然	（副）	dāngrán	19
到	（动）	dào	23
道	（量）	dào	29
得	（动）	dé	27
得	（助）	de	25
灯	（名）	dēng	23
地方	（名）	dìfang	23
地铁	（名）	dìtiě	28
点	（名、量）	diǎn	21
点（钟）	（量）	diǎn（zhōng）	20
点心	（名）	diǎnxin	30
电脑	（名）	diànnǎo	22
电视	（名）	diànshì	16
电视剧	（名）	diànshìjù	16
电视台	（名）	diànshìtái	25
电影	（名）	diànyǐng	16
东边	（名）	dōngbian	23
东西	（名）	dōngxi	16
懂	（动）	dǒng	24
堵车		dǔ chē	28
肚子	（名）	dùzi	27
短	（形）	duǎn	19
锻炼	（动）	duànliàn	21
队	（名）	duì	26
对	（介）	duì	22
对了		duì le	26
多	（副）	duō	20
多大		duō dà	20
发	（动）	fā	16
发烧		fā shāo	24
翻译	（名、动）	fānyì	18
方便	（形）	fāngbiàn	28
房子	（名）	fángzi	28
房租	（名）	fángzū	28
飞	（动）	fēi	18
飞机	（名）	fēijī	18
非常	（副）	fēicháng	22
肥	（形）	féi	19
分（钟）	（名、量）	fēn（zhōng）	21
份	（量）	fèn	18
父母	（名）	fùmǔ	30
附近	（名）	fùjìn	28
复习	（动）	fùxí	16

干净	（形）	gānjing	30
干燥	（形）	gānzào	30
赶	（动）	gǎn	28
感到	（动）	gǎndào	22
感冒	（动、名）	gǎnmào	24
感谢	（动）	gǎnxiè	30
感兴趣		gǎn xìngqù	22
干	（动）	gàn	29
干什么		gàn shénme	29
刚才	（名）	gāngcái	25
高兴	（形）	gāoxìng	22
高血压	（名）	gāoxuèyā	30
跟	（介、连、动）	gēn	16
公共汽车		gōnggòng qìchē	28
公园	（名）	gōngyuán	16
功课	（名）	gōngkè	30
狗	（名）	gǒu	20
故事	（名）	gùshi	29
拐	（动）	guǎi	23
关	（动）	guān	26
关机		guān jī	26
广场	（名）	guǎngchǎng	23
过	（动）	guò	20
汉英		Hàn-Yīng	17
好	（副）	hǎo	30
好处	（名）	hǎochù	30
好看	（形）	hǎokàn	19
号	（名、量）	hào	20
合上		hé shàng	29
合适	（形）	héshì	19
和平	（名）	hépíng	23
河	（名）	hé	28
红绿灯	（名）	hónglǜdēng	23
后	（名）	hòu	27
后边	（名）	hòubian	23
后年	（名）	hòunián	20
花	（名）	huā	18
化验	（动）	huàyàn	27
画	（动）	huà	22
画儿	（名）	huàr	22
坏处	（名）	huàichù	30
还是	（副）	háishi	28
环境	（名）	huánjìng	28
回来	（动）	huílái	18
回信		huí xìn	29
会	（能愿、动）	huì	24
会话	（名、动）	huìhuà	29
火车	（名）	huǒchē	18
或者	（连）	huòzhě	16
机会	（名）	jīhuì	30
集合	（动）	jíhé	21
挤	（形、动）	jǐ	17
记	（动）	jì	30
记住		jì zhù	30
寂寞	（形）	jìmò	27
坚持	（动）	jiānchí	25
检查	（动）	jiǎnchá	27
见	（动）	jiàn	29
交通	（名）	jiāotōng	28
浇	（动）	jiāo	18
教	（动）	jiāo	17
叫	（动）	jiào	22
教室	（名）	jiàoshì	21
接	（动）	jiē	26

节	（量）	jié	21
节目	（名）	jiémù	25
结果	（名）	jiéguǒ	27
借	（动）	jiè	16
今年	（名）	jīnnián	20
近	（形）	jìn	23
进步	（动）	jìnbù	25
京剧	（名）	jīngjù	22
就	（副）	jiù	20
就	（副）	jiù	22
举行	（动）	jǔxíng	20
句子	（名）	jùzi	29
开	（动）	kāi	26
开(药)	（动）	kāi (yào)	27
开机		kāi jī	26
开始	（动）	kāishǐ	24
看	（动）	kàn	25
看病		kàn bìng	24
看见		kàn jiàn	29
考	（动）	kǎo	26
考试	（动、名）	kǎoshì	29
咳嗽	（动）	késou	24
可能	（副）	kěnéng	24
可以	（能愿）	kěyǐ	19
可以	（形）	kěyǐ	25
刻	（量）	kè	21
客厅	（名）	kètīng	28
课	（名）	kè	17
课间	（名）	kèjiān	30
课文	（名）	kèwén	16
口语	（名）	kǒuyǔ	17
哭	（动）	kū	27
块	（量）	kuài	30
快	（形）	kuài	25
快乐	（形）	kuàilè	20
拉肚子		lā dùzi	27
来	（动）	lái	17
篮球	（名）	lánqiú	25
劳驾		láo jià	23
离	（介）	lí	23
礼堂	（名）	lǐtáng	27
里边	（名）	lǐbian	23
厉害	（形）	lìhai	27
练	（动）	liàn	30
练习	（动、名）	liànxí	16
聊天儿		liáo tiānr	16
了	（助）	le	24
了	（助）	le	27
流利	（形）	liúlì	25
录音	（名、动）	lùyīn	17
路	（名）	lù	23
乱	（形）	luàn	28
旅行	（动）	lǚxíng	18
绿	（形）	lǜ	23
马路	（名）	mǎlù	23
满意	（形）	mǎnyì	28
慢性病	（名）	mànxìngbìng	30
毛衣	（名）	máoyī	19
没问题		méi wèntí	18
没有	（副）	méiyǒu	17
每	（代）	měi	21
门	（量）	mén	17
们	（尾）	men	21
米	（量）	mǐ	23

面积	（名）	miànjī	28
明年	（名）	míngnián	20
拿	（动）	ná	18
哪里	（代）	nǎli	25
那么	（代）	nàme	25
南边	（名）	nánbian	23
难过	（形）	nánguò	27
能	（能愿）	néng	24
年	（名）	nián	20
年级	（名）	niánjí	21
念	（动）	niàn	29
牛奶	（名）	niúnǎi	30
牛肉	（名）	niúròu	27
努力	（形）	nǔlì	25
爬	（动）	pá	21
派	（动）	pài	22
旁边	（名）	pángbiān	28
胖	（形）	pàng	19
跑	（动）	pǎo	25
跑步		pǎo bù	25
陪	（动）	péi	26
便宜	（形）	piányi	19
片	（量）	piàn	27
平(方)米	（量）	píng(fāng)mǐ	28
妻子	（名）	qīzi	28
骑	（动）	qí	17
起床		qǐ chuáng	21
气功	（名）	qìgōng	30
气候	（名）	qìhòu	30
前	（名）	qián	21
前边	（名）	qiánbian	23
浅	（形）	qiǎn	19
青年	（名）	qīngnián	18
情况	（名）	qíngkuàng	28
请假		qǐng jià	24
球	（名）	qiú	25
去年	（名）	qùnián	20
然后	（副）	ránhòu	27
让	（动）	ràng	22
认真	（形）	rènzhēn	25
散步		sàn bù	30
晒	（动）	shài	30
山	（名）	shān	21
上	（动）	shàng	26
上	（动）	shàng	29
上边	（名）	shàngbian	23
上车		shàng chē	21
上课		shàng kè	21
上去	（动）	shàngqu	28
上网		shàng wǎng	16
深	（形）	shēn	19
生词	（名）	shēngcí	16
生活	（动、名）	shēnghuó	30
生日	（名）	shēngri	20
失眠		shī mián	30
时候	（名）	shíhou	16
时间	（名）	shíjiān	20
事	（名）	shì	17
试	（动）	shì	19
收	（动）	shōu	16
收发	（动）	shōufā	16
瘦	（形）	shòu	19
书店	（名）	shūdiàn	17
书法	（名）	shūfǎ	22

舒服	（形）	shūfu	24
输	（动）	shū	26
熟	（形）	shú	29
属	（动）	shǔ	20
水平	（名）	shuǐpíng	25
睡觉		shuì jiào	21
顺便	（副）	shùnbiàn	18
宿舍	（名）	sùshè	16
虽然	（连）	suīrán	28
岁	（量）	suì	20
所以	（连）	suǒyǐ	27
台	（名）	tái	25
太极拳	（名）	tàijíquán	24
谈	（动）	tán	22
套	（量）	tào	28
特别	（形）	tèbié	22
疼	（动）	téng	24
踢	（动）	tī	26
提高	（动）	tígāo	25
题	（名）	tí	29
体育	（名）	tǐyù	17
体育馆	（名）	tǐyùguǎn	28
替	（介、动）	tì	18
条	（量）	tiáo	28
跳舞		tiào wǔ	27
听见	（动）	tīngjiàn	29
听力	（名）	tīnglì	17
听说	（动）	tīngshuō	24
挺	（副）	tǐng	30
头	（名）	tóu	24
头疼		tóu téng	24
团	（名、量）	tuán	18

托福	（名）	Tuōfú	26
外边	（名）	wàibian	23
完	（动）	wán	29
玩	（动）	wán	22
晚	（形）	wǎn	25
晚饭	（名）	wǎnfàn	21
晚会	（名）	wǎnhuì	20
晚上	（名）	wǎnshang	16
网	（名）	wǎng	16
往	（介）	wǎng	23
忘	（动）	wàng	26
为	（介）	wèi	25
为什么		wèi shénme	25
喂	（叹）	wèi	26
文化	（名）	wénhuà	17
问题	（名）	wèntí	18
卧室	（名）	wòshì	28
午饭	（名）	wǔfàn	21
午觉	（名）	wǔjiào	30
舞会	（名）	wǔhuì	27
西边	（名）	xībian	23
习惯	（动、名）	xíguàn	30
洗	（动）	xǐ	21
洗澡		xǐ zǎo	21
喜欢	（动）	xǐhuan	22
下	（名）	xià	24
下边	（名）	xiàbian	23
下车		xià chē	21
下课		xià kè	22
现在	（名）	xiànzài	16
响	（动）	xiǎng	26
想	（动、能愿）	xiǎng	17

消化	（动）	xiāohuà	27
小便	（名、动）	xiǎobiàn	27
小时	（名）	xiǎoshí	24
效果	（名）	xiàoguǒ	30
笑	（动）	xiào	29
心情	（名）	xīnqíng	22
兴趣	（名）	xìngqù	22
行	（动）	xíng	17
休息	（动）	xiūxi	16
延长	（动）	yáncháng	30
阳光	（名）	yángguāng	28
要是	（连）	yàoshì	28
业余	（名）	yèyú	22
页	（量）	yè	29
一般	（形）	yìbān	30
一点儿	（数量）	yìdiǎnr	19
一定	（副）	yídìng	20
一起	（副）	yìqǐ	16
一直	（副）	yìzhí	23
伊妹儿	（名）	yīmèir	16
已经	（副）	yǐjīng	26
以后	（名）	yǐhòu	21
以前	（名）	yǐqián	22
意思	（名）	yìsi	24
因为	（连）	yīnwèi	25
音乐	（名）	yīnyuè	17
应该	（能愿）	yīnggāi	19
赢	（动）	yíng	26
用	（动）	yòng	18
邮票	（名）	yóupiào	18
油腻	（形）	yóunì	30
游泳		yóu yǒng	30
有的	（代）	yǒude	28
有时候		yǒu shíhou	16
有意思		yǒu yìsi	29
又	（副）	yòu	26
又…又…		yòu…yòu…	19
右	（名）	yòu	23
右边	（名）	yòubian	23
鱼	（名）	yú	27
愉快	（形）	yúkuài	22
羽绒服	（名）	yǔróngfú	19
预习	（动）	yùxí	16
原来	（形）	yuánlái	30
远	（形）	yuǎn	23
愿意	（能愿、动）	yuànyì	25
月	（名）	yuè	20
阅读	（名）	yuèdú	17
运动	（动、名）	yùndòng	25
再	（副）	zài	24
再	（副）	zài	29
在	（副）	zài	17
咱们	（代）	zánmen	16
糟糕	（形）	zāogāo	29
早	（形）	zǎo	25
早饭	（名）	zǎofàn	21
早上	（名）	zǎoshang	21
站	（名）	zhàn	28
这么	（代）	zhème	25
真	（副、形）	zhēn	28
正	（副）	zhèng	17
正好	（形）	zhènghǎo	20
正在	（副）	zhèngzài	17
中间	（名）	zhōngjiān	23

中学	（名）	zhōngxué	26
钟头	（名）	zhōngtóu	30
种	（量）	zhǒng	19
周围	（名）	zhōuwéi	28
祝	（动）	zhù	20
祝贺	（动）	zhùhè	26
准	（形）	zhǔn	25
准备	（动）	zhǔnbèi	20
准时	（形）	zhǔnshí	21
资料	（名）	zīliào	16
自己	（代）	zìjǐ	22
综合	（形）	zōnghé	17
总(是)	（副）	zǒng(shì)	16
走	（动）	zǒu	16
租	（动）	zū	28
足球	（名）	zúqiú	23
足球场	（名）	zúqiúchǎng	23
左	（名）	zuǒ	23
左边	（名）	zuǒbian	23
作业	（动）	zuòyè	29
座	（量）	zuò	23

专有名词 Proper names

安娜	Ānnà	29
山本	Shānběn	21
上海	Shànghǎi	18
田中	Tiánzhōng	22
珍妮	Zhēnní	18

cell 13522504421

home 63517265

jack.d.wallace@gmail.com